台灣的抉擇③——
人民有權？政府有能？

史記文化事業有限公司
Shi Ji Cultural Co., Ltd.

目　次
Content

4

台灣的抉擇❸——人民有權？政府有能？

導論

周世雄

孫中山於1924年辭世後，中山學說真正詮釋遂成為各界關注焦點，尤其當1931年日本帝國主義發動九一八侵華，神州大陸開始進入動盪不安局面，旋於1937年7月7日盧溝橋事變後，中國正式對日宣戰，全國動員，到處烽火！中山學說的傳承更是風雨飄搖。孫中山被尊為中華民國國父，中國共產黨也奉其為革命先行者，都是對孫先生推翻帝制，建立新時代的肯定。1949年國民政府自南京播遷來台，國父思想又成為顯學。從五〇年代至八〇年代，三民主義不但是高中生必修課程，更是國家發展的核心價值，既是顯學，又是經世濟民之道。

本書承襲《台灣的抉擇1、2》思路邏輯，主要探討中山學說民權主義對兩岸現狀的啟示與影響，前書1、2分析民族主義及民生主義如何完成中華民族的和平融合與如何邁向均富大同世界；而分析民權主義恰如孫中山所堅持，政府做為統治群體如何完整保障人民——「主人翁」的應有權力，也就是一般人琅琅上口——「人民有權，政府有能」、「權能區分」及「選賢與能」等重要概念。由此觀之，孫中山逝世的百年後，孫文學說的重要性與日俱增，民權主義不論從國家現代化的觀點來看，或是由保障人民基本權利出發，都具有開枝散葉、茁壯成長的優渥土壤。

貫穿全書的基本思路與邏輯在於統治者的權力來自於被統治者授權，前者理應接受後者監督制衡。但現實的情況往往令人失望，

統治者卻是扮演「監督統治」角色。檢視孫中山的民權主義在於鞭策兩岸政府於「選賢與能」的過程必須滿足百分百的正當性，但是也不可忽略在「權能區分」的治理過程也要滿足人民意願。換句話說，統治的正當性可劃分為選舉（舉才）正當性與治理（用才）正當性，政府才擁有真正統治權。否則，人民可以隨時起而逐之，正如「水可載舟，亦可覆舟」。「載舟與覆舟」均衡妥協，在帝制時代就是國泰民安，天地和諧；在現代術語就是融合中國傳統民本思想與新時代民主思潮。

本書第一章〈孫中山與台灣的民權思想〉由周惠民教授撰稿，論述孫中山對台灣的真正影響，大多數台民只知道孫中山的三民主義，而不知曉孫中山與台灣的連結有多麼密實，早在中山先生開始奔走革命成立第一個革命團體興中會之際（1894），孫就指示陳少白與楊心如二員來台發展組織。1905年成立同盟會，1910年台南籍翁俊明加入，成為中國同盟會第一位台籍會員。爾後，隨著革命成功，建立國民政府，孫中山的思想與理論即便在日據時代的台灣仍是不斷傳承，諸如台灣先賢杜聰明、蔣渭水等「民運先驅」均認同孫中山。本章各節運用珍貴史料檔案，抽絲剝繭，詳實記載政府遷台後，蔣中正總統如何在台實踐民權主義，讓中山思想賡續不墜。

第二章〈構思「後民權主義」之兩岸新古典民主主義〉由周世雄教授論述「後民權主義」時代，兩岸政府如何檢視各自政治體系之優劣，及未來共同邁向「新古典民主主義」之道。台灣現行政治體制的亂象緣於只重選舉結果，政黨為搶執政寶座，以分配國家資源，往往引導民眾走向民粹政治。縱然滿足一人一票之「程序正當性」，卻無力完善「治理正當性」；中國大陸之政治體系卻獨異於西方民主政治理論，重現後端治理績效，取代「一人一票選舉」，

而引用中國傳統「民本思維」。本章提出「程序正當性」與「治理正當性」均衡匯合論述，以達成「新古典民主主義」。

第三章〈台灣民主社會的發展、困境與展望〉由洪泉湖教授執筆，全文主要討論民主社會的指標，做為一個標準的民主社會要符合哪些條件。洪文認為人民的權利獲得良好保障，政府組成獲得大多數民眾同意，所謂滿足政府施政正當性；及「人民活得有尊嚴」是檢驗民主國家成立與否的三項要件。作者進而分析台灣近年民主政治發展不同階段所累積的成果與負面效果。台灣自詡為成熟民主社會，但對自由、民主、法治錯置，卻形成台灣嚴重包袱，從而衝擊道德標準，國家認同等發展困境，值得各界深思。

第四章〈台灣的自由民主——不是只有選票而已〉由潘兆民教授論析民主社會除了「天經地義」的選舉外，還有其他必要條件嗎？選票固為兵家必爭，但民主社會爭的是什麼？政治人物想清楚、想明白嗎？當人民釋出選票之後，是否立即主僕地位互換，這樣的選舉徒有投票行為，其實際意義甚微。潘文高舉孔夫子在〈禮運大同篇〉所示「大道之行也，天下為公，選賢與能，講信修睦」，雖為老生常談，然而做為檢視台灣民主政治發展的標竿，台灣各政黨需要謙卑蹲下來好好反省。本文對於台灣民主政治走向民粹政治，不斷出現民主崩盤亂象，更有獨到剖析。

第五章〈選舉與民主〉是賴榮偉助理教授主筆，本文宗旨有如《尚書‧咸有一德》名言：「任官惟賢才，左右惟其人。」選拔人才、重用人才是國家興亡的關鍵因素。惟人才兼懷仁義道德才足以安邦定國。本文亦深入探討選舉與民主因果關係，直接選舉與間接選舉對民主政治影響，並論及台灣近二十年來政治民主化過程。值

得審視的觀點是，本文特別連結孫中山如何看待政權與治權的對應關係，及政府如何有效治理而符合效能政府標準。

第六章〈總統的權力與憲政體制的修改〉係呂佳穎助理教授大作。本文分析不同憲政體制下的權力結構，諸如半總統制、美式總統制、及議會內閣制下政治領袖（或國家領導人）權力運行的依循法則。孫中山五權憲法對當前台灣的政治體制還有多少關聯性？論者嘗謂台灣是「總統有權無責，行政院長有責無權」，每逢選舉，這個議題都被炒熱，但選後一切又趨平靜。總統制與內閣制論述左右擺盪，就是沒有政黨或政治領袖大膽「撼動體制改革」能為國家長治久安計，呂文誠然大膽提出對政治人物挑戰。

第七章〈孫中山民權說借鏡瑞士直接民權經驗——以創制、複決為例〉由旅居瑞士蘇黎世逾四十載資深學人朱文輝老師撰稿，全文分析瑞士如何從阿爾卑斯山環繞的小國發展成舉世矚目的先進民主國家，尤其中山先生在論三民主義時亦提示瑞士直接民權對「人民有權，政府有能」、「權能區分」具有重大不可分割的影響；師法歐美直接民權而提出創制及複決兩權厥為人民基本權力關鍵環節。

第八章〈思考修憲廢除考試院和監察院的真實目的〉由桂宏誠副教授執筆。修憲廢除考監兩院在台鬧得沸沸揚揚，尤其每逢選舉，民進黨必然祭出廢除考監兩院議題，做為搶食選票大餅不二法寶。諷刺的是，民進黨已先後執政兩次，前後共計十六年，考監兩院到底廢與不廢？沒有答案。監察院做為整飭官箴、防治貪腐，自有其存在功能。監院能否發揮監督防弊功能端視哪些人坐在位子上。蔡政府主政至今，監察院拍了多少「蒼蠅」？打了多少「老虎」？老百姓眼睛雪亮清楚。考試院做為鞏固拔擢國家中

x

立文官人才，功能自不待言，不再贅述。中山先生所思考試、監察兩權必有其深邃意涵，桂文援引《民主如何走向了終結》（How Democracy Ends）及《民主是怎麼死的》（How Democracies Die）說明西方形式民主不是萬靈丹，民主制度是要有效監督，才不致步上死亡。

第九章〈新台灣模式與傳統「仁政」的距離〉由區桂芝老師主筆，分析當前台灣執政民進黨政府辯稱「新台灣模式」所面臨窘境與困厄。全文並選取日據時期在台虐政與國民黨在台推動仁政供讀者深入研析。中國傳統文化論述「仁政」於區文中清晰可及，惟台灣當政卻背道而行，諸多作為狂秀「不要臉」下限。更有甚者，台灣民進黨一切以美國為師，美式「民主」在全球各地相繼破產，美國本土槍擊連連，民主人權早已淪喪。本文強調台灣只有回到中國文化傳統的政治思維，自我文化覺醒，才不至於步上自取滅亡之途。

第十章〈民主政治如何實現責任政治〉由閔宇經副教授擔綱。民主政治對應責任政治正如一枚錢幣正反兩面，兩者缺一不可。大凡經由選舉上台執政均受制於責任監督，鮮少例外。總統到國會報告國情咨文，總理或首相到國會報告施政計畫，彼此制約權力，允為政治常態。本文全面性檢視責任政治在台灣落實情況，尤其探討總統與行政院長權責如何釐清，如何調整「總統有權無責」畸形弊端。

第十一章〈對兩蔣時期台灣現代化的再思考〉係由李炳南教授執筆。本文乍看與中山學說無關，惟深入細察，全文隱含台灣現代化成功原因離不開蔣介石與蔣經國兩位總統在台灣落實對內走向民主開放，對外開拓經貿連結，厚植民生國力。兩蔣施政儼

然繼承孫中山遺緒，以民生經濟發展帶動台灣脫貧。尤其難能可貴的是在政府遷台，各項物資匱乏，百廢待舉之際，經國先生接續大位之後，陸續啟動各項政治經濟社會建設，大力培養台灣本土政治人才從事公職，斯時的在野人士日後得以籌組反對黨，亦可溯源於經國先生施政。

第十二章〈民主政治的基底──談公民素養〉由本書主編洪泉湖教授執筆，成功的民主政治離不開家庭、學校、社團、社會等重要因素，缺一不可。台灣自1987年7月解除戒嚴後，各界不斷「吹捧」民主政治，尤其每到選舉，政治人物就以追求先進國家民主政治為選舉訴求，以爭取選票最大化。然而實際檢驗台灣民主政治進程，卻也發現台灣民眾之民主素養仍須努力強化，距理想民主政治仍遠。民主政治果爾走向「民粹政治」，選票蛻變為「買票」，人民仇恨值飆升，民主政治就淪為明日黃花。

〈結論〉章由洪泉湖教授與鄭旗生董事長共同完成，綜合各章精華，提出建言，期盼海峽兩岸各方有識之士為重建偉大中華民族而努力。

孫中山與台灣的民權思想

周惠民

先生的精神，先生的主義，是必永遠留著在人類的心目中活現。
先生的事業，是必永遠留著在世界上燦爛，
這應該就是所有台灣人對孫中山先生崇敬的心聲罷。

——張我軍，〈追悼孫中山的弔辭〉

　　1895年起，台灣便成為日本的殖民地。日本殖民地的行政長官——台灣總督並未以平等對待台灣人民。1870年代起，日本國內就出現「自由民權運動」，百姓要求政府制定憲法、實施議會政治。到19世紀末期，自由民權的初步理想可算達成。但台灣則實施殖民地法制，無論「六三法」或「三一法」均賦予總督獨裁的權力，掌控司法、行政與立法大權。如何啟迪民智？這是19世紀台灣民權發展的最重要課題。

　　孫中山奔走革命，積勞成疾，於1925年病逝北京，留下其建國藍圖，但細部規畫尚未及完成。而且20世紀上半葉，中國面臨各種內憂外患，政治情勢瞬息萬變。此時，蔣中正主政中國，面對日、俄侵凌於外，軍閥共黨為禍於內，甚至昔日革命同志也變生肘腋，禍起蕭牆，但仍根據孫中山的規畫，積極實施民權主義，希望儘速進入訓政時期，並完成制憲，儘早還政於民。1937年起，中國決定起而禦侮，經過八年抗戰，終於掃除敵寇，恢復國權，蔣中正立即啟動制憲，並於1947年開始行憲，完成孫中山的民權思想。不過，憲法尚未及完全

施行，河山便已變色。蔣中正率領軍民，播遷來台，國家進入緊急體制之際，仍不忘初心，在台灣實行三民主義，除國防安全外，兼顧民權發展與民生建設。將孫中山的民權思想，實現於台灣。

　　本文以時間為主軸，討論孫中山及其繼承者蔣中正兩人如何將民權思想引入台灣，並實施直接民權。

一、孫中山啟迪台灣的民權思想

　　孫中山是中國近代史上的「先行者」，這是因為孫中山最早認知：面對西方強權的侵凌，無法指望清廷推動改革，強國強種。他於1894年前後上書李鴻章，提出富強四要，即人盡其才，地盡其利，物盡其用，貨暢其流。孫中山認為這四點是西方各國富強之基礎，也是治國之根本。但這種理論並無新意，李鴻章推動的新政並非如一般人所說只限於「船堅炮利」，對孫中山的建議也就沒有處理。

　　孫中山失望之餘，開始轉向革命，堅持這種信念，毫無懈怠。經十餘年，將「革命」發展成民族覺醒，贊同與支持者逐漸散布各地，遂有辛亥革命，終於建立民國。

（一）成立興中會並組織台灣分會

　　1894年秋，孫中山對北京之行失望之餘，乃前往檀香山，投奔其兄。此時，夏威夷正好發生軍事政變。此事起因於大批自美國移居夏威夷的美國人對夏威夷1864年憲法不滿，另訂新憲，強迫夏威夷國王接受，迫使夏威夷君主成為美國的傀儡政權。當新女王於1891年登基時，計畫修改憲法以擺脫美國控制。當地美籍富商及農場主乃於1893年發動政變。美國白人組成的安全委員會建立夏威夷

臨時政府推翻君主制度，廢除世襲國王，建立共和國。孫中山受此啟發，認為中國也應當建立民主共和體制，這種想法也在當地華僑社區中迴盪。1894年底，孫中山在檀香山糾集二十多名華僑，成立「興中會」，要「振興中華，挽救危局」，誓詞為「驅逐韃虜，恢復中華，創立合眾政府」。

興中會是孫中山成立的第一個革命團體，除了在夏威夷等海外地區發展外，孫中山另指示陳少白與楊心如來台發展組織。陳少白（1869-1934）是孫中山在西醫書院時的同學，1895年加入興中會，參與「乙未廣州之役」時因事機不密失敗，孫、陳潛往日本避難。1897年，孫中山派其前來台灣，聯絡楊心如。楊心如（1868-1946）亦為廣東省香山縣翠亨村人，1895年，孫中山介紹楊加入興中會，與孫中山、陸皓東、楊鶴齡合稱「翠亨四傑」。

楊心如長於經商，常往來澳門、香港等地，故成為興中會重要信使，傳達消息。乙未之役失敗後，楊之岳父程耀宸及陸皓東等殉難，楊心如乃潛逃台灣，任職於大稻埕良德澤行。1897年，孫中山授意陳少白來台發展黨務，並由楊心如協助。楊心如乃介紹許多居留台北的廣東商人加入。1897年11月，台灣青年林震東、陳震安、陳文渠、林成木等也陸續加入。台灣興中會在陳、楊等人努力之下，會務發展順利，並經常舉辦活動。如在1898年，戊戌變政失敗後，興中會台灣分會還集會追悼；此外，陳少白並在台灣募集充裕的經費，作為創辦香港《中國日報》資金。

（二）興中會台灣分會的發展

1898年，孫中山得知兒玉源太郎（Kodama Gentarō）將接任台灣總督，以後藤新平（Gotō Shimpei）為民政長官，乃趁兩人

尚在東京，先與之聯絡，並希望這兩人能協助興中會在台發展。隨後，陳少白來台展組織，並會見後藤新平。

1900年，義和團事件爆發，孫中山亟欲利用義和團事件，於清廷無暇兼顧之際，在惠州發動起事。台灣總督兒玉源太郎贊同孫中山的計畫，於是兒玉總督命時任民政長官的後藤新平協助孫中山起事。孫中山乃偕日本人平山周（Shū Hirayama）、內田良平（Uchida Ryōhei）等抵台，於新起町（今長沙街）設置指揮中心，聯絡從日本運送軍械、武裝人員和經費到大陸各種事宜。台灣興中會則負責港、台聯絡。此時恰值日本內閣改組，新任首相伊藤博文（Itō Hirobumi）反對介入中國革命，起義工作無以為繼，孫中山也遭驅除，只得返回日本。楊心如則仍留台灣，主持興中會務。義和團事件及惠州之役與讓許多台灣青年認識清廷已經無力應付各種危局，愈來愈同情孫中山，革命思想也開始在台灣傳播。

1905年，孫中山與湖南、江浙等地革命黨人商議，將興中會、華興會、光復會等各會黨合併，成立同盟會，也繼續在台灣活動。1910年，同盟會福建支會以就讀台北醫學專門學校的王兆培發展會務，順利吸收台南籍的翁俊明（1893-1943）加入，成為中國同盟會的第一位台籍會員。

（三）孫中山重視培養台灣的革命意識

辛亥革命勝利不久，孫中山被選為中華民國臨時大總統。1912年1月1日，孫自上海抵達南京，並於當晚10時宣誓就職。宋教仁則主張將中國同盟會與其他黨派合併組成國民黨，推舉孫文為理事長，只是孫未到任，由宋教仁代理。不過孫中山因為實力有限，為能夠維持革命成果，便同意辭臨時大總統職，以袁世凱繼任。但袁

世凱對民國政體並無興趣，也不願意離開北京。1913年，國民黨代理主席宋教仁在上海車站遇刺，傷重不治。孫此時正在長崎，獲悉宋教仁被刺身亡；立即返國。孫抵達上海後，極力主張與北京決裂，以武力對抗袁世凱，是為二次革命，此次事件以失敗告終。

原本孫中山宣布辭去臨時大總統職後，袁世凱特別委任孫中山為「督辦鐵路」一職，「籌劃全國鐵路全權，並得與各國商人商議借款招股事宜」。為此，孫經常前往日本，並趁便來台，介紹中國現狀，撻伐破壞民主憲政的軍閥，經與台灣青年多方懇談後，孫中山加強其討伐袁世凱之決心，在轉往日本之後，隨即籌組中華革命黨，繼續為民權奮鬥。

1913年8月2日，二次革命失敗，孫中山與胡漢民由上海乘德國輪船約克號（SMS Yorck）前往馬尾，日本駐福州領事館武官為其安排次日前往台灣之輪船，並請台灣總督府陸軍參謀長照料。8月5日，孫中山一行抵達，台灣總督府安排在梅屋敷休息。但日人嚴密監控，催促他們盡速離台。孫中山仍私下會晤楊心如、蔣渭水、廖進平、翁俊明、羅福星等人，隨即於當日下午乘船前往神戶。

此時袁世凱下令解散國民黨，因此，孫中山於1914年在東京聯絡原興中會、中國同盟會同志及部分國民黨人，組織中華革命黨。

1918年第一次世界大戰歐洲戰場的戰事如火如荼，美國總統威爾遜（Thomas Woodrow Wilson）提出「十四點和平原則」（Fourteen Points），主張平等對待殖民地人民與民族自決等原則，亞洲地區許多殖民地人民頗受鼓舞，日本對其殖民地嚴陣以待。當時，袁世凱已經去世，段祺瑞、張勳等將國政搞得喧囂塵上，孫中山則號召籌組護法政府，並積極尋求海外協助。此時台灣

青年也關心國是，響應民族自決的計畫，所以孫中山在前往日本時，希望順道來台宣傳革命思想，鼓舞台灣青年的愛國情緒。孫中山於1918年6月初由廣州乘船來台時，日本總督府拒絕讓孫中山登岸。孫中山只得改乘其他船隻，離台赴日。這也說明孫中山對台灣青年有一定的號召力。

孫中山此行，雖然未能上岸，但台灣青年已經受其鼓勵，關注大陸情況，也開始認識並認同反殖民活動。

二、台灣青年對孫中山理論的反應

1895年，清廷將台灣割讓給日本時，台灣青年反應極大，深有孤臣孽子之痛，紛紛起義，企圖抗拒日本侵略，乙未之役，台灣青年慷慨赴義者高達一萬四千人。即便起事不成，台灣青年仍存故國之思。當孫中山來台發展興中會時，對台灣青年頗多啟發，羅福星秘密組織抗日運動時，響應者亦多。

羅福星（1886-1914）之父為廣東客家人，因往荷屬東印度爪哇經商，結識一位印尼華僑，婚後生下羅福星。1887年，羅福星隨父母返廣東嘉應，再於1896年，返巴達維亞，就讀華文學校，在當地認識孫中山的革命思想。1903年，羅福星隨祖父來台居於苗栗，就讀苗栗公學校。1906年，羅福星返廣東，途經廈門，再接觸革命思想，於1907年加入同盟會。此後數年間，他往來於新加坡、巴達維亞等地，一面在華校教書，並召募華僑參加革命。1911年，羅福星也曾率領爪哇華僑參與黃花崗之役。起義失敗後，羅福星回巴達維亞。1912年，中華民國成立，羅福星至台灣，秘密組織抗日運動，以「驅逐日人，收復台灣」為號召，並從大陸運送武器來台，以推翻日本殖民統治。到1913年初，組織已經有五百名會員。

1913年9月，日本警方破獲羅福星的組織，總共九百餘人遭偵訊，實際遭起訴並被判死刑者包括羅福星在內共二十名，有期徒刑二百八十五名；後羅福星在台北遭絞刑殉義。他臨刑前留下藏頭詩〈祝我民國詞〉：「中土如斯更富強，華封共祝著邊疆；民情四海皆兄弟，國本苞桑氣運昌；孫真國手著初唐，逸樂中原久益彰；仙客早貽靈妙藥，救人千病一身當。」

翁俊明是第一位參與同盟會的台灣人。他出生於台南，1905年就讀台南第一公學校，1909年與杜聰明等人同時進入台灣總督府醫學校就讀。在校期間，受到其同學，也是同盟會會員王兆培的影響而加入同盟會。孫中山乃委其為台灣通訊員，成立同盟會台灣通訊處，並繼續吸收同志，包括同學蔣渭水、杜聰明等人。

1913年，二次革命失敗，翁俊明乃與杜聰明共同攜帶霍亂細菌，計畫毒殺袁世凱，但抵達北京後，才發現警衛森嚴，根本無法下手，只能返台。

翁俊明從醫學校畢業不久，台南地區發生西來庵事件，日本軍警大量屠殺當地居民。統計因此事件被捕者近二千人，被判處死刑近九百人。引起國際輿論注意，在日本國內與國際壓力下，總督安東貞美（Andō Teibi）才以天皇即位為由，將四分之三的死刑犯改為無期徒刑。台灣許多青年因此灰心，翁俊明更舉家遷往廈門，此後行醫為生。但此時翁俊明仍屬日本臣民。到1937年蘆溝橋事變爆發，翁俊明立即聲明放棄日本國籍。日軍於1938年5月攻占廈門時，翁則遷往香港，並於1940年9月，在香港成立中國國民黨「直屬台灣黨部籌備處」，繼續發展黨務。

張我軍（1902-1955）生於板橋，少時家貧，1915年板橋公學校畢業後，在銀行工作，並學習漢詩。1921年前往廈門鼓浪嶼繼續

任職於日資銀行，並進入廈門同文書院，努力學習古典文學，開始創作。後曾擔任《台灣民報》編輯，與蔣渭水、翁澤生等人共事，再到北京，進入國立北平師範大學國學系就讀，並教授日文，也曾任北平市社會局秘書，襄贊北平市長秦德純對日交涉事宜。

　　孫中山的一舉一動的確牽動許多台灣同胞的掛念。1925年2月，孫中山因病住院之事已經傳到台灣。2月21日，《台灣民報》刊登一則孫中山先生逝世的消息，讓許多人難過不已，一篇〈願中山先生之死不確〉的短文指出：「去年我們的世界纔失去了一位世界的偉人（按：指1924年1月21日去世的列寧），今年又欲把一位世界的偉人，中國的大革命家從此便奪去，那死的神也未免太無情了。」不過當時有人證實這則消息並不正確，許多人又轉憂為喜。只是沒有多久，仍是傳出孫中山去世的噩耗。台灣青年特地開了追悼會。蔣渭水在《台灣民報》發表社論〈哭望天涯弔偉人〉，說道：「這次似乎真的死了！想此刻四萬萬的國民正在哀悼痛苦罷！西望中原，我們也禁不住淚泉怒湧了！一封電報就能叫我們如此哀慟！這都為了什麼？那是因為孫中山先生是『自由的化身』『熱血的男兒』『正義的權化』，而成為『自由』與『正義』化身的『熱心男兒』竟然壯志未酬身先死！」張我軍也說：「孫先生！你哪知道這海外的孤島中也有一個無名的青年在湧淚痛慟！」

三、孫中山思想的轉化與實踐

　　孫中山天年不永，去世時年僅五十九，許多政治理念尚僅舉其大要，未及仔細思考實行步驟。例如他於1906年《革命方略》中，指出中華民國的政治建設應當分「軍法之治」、「約法之治」、「憲法之治」三個階段。又於1914年的《中華革命黨黨章》中提及

「軍政、訓政、憲政」三個階段，主張在以軍事統一全國之後，實施訓政，以黨治國。但孫中山並未見到中國統一，對訓政、憲政的詳細內容，自然沒有清楚說明。

（一）蔣中正發揚孫中山民權思想

1925年3月孫中山去世之時，蔣中正正統率軍隊與廣東地區的軍閥作戰。孫中山去世的消息傳來，蔣中正立刻表態，以「學生」自居，並且從此之後不斷推動孫中山的相關思想，例如實施「總理紀念週」，宣揚及「闡釋」孫中山思想。至1925年10月，蔣中正的國民革命軍與李宗仁、白崇禧的桂軍聯手，打敗廣東軍閥，1926年2月，消滅廣東境內反國民黨的粵軍。蔣中正聲望於是大增，汪精衛稱之為「承總理未竟之志，成廣東統一之局，樹國民革命之聲威」，蔣中正進入國民黨的權力核心。

孫中山去世時，廣東地區的軍閥頗有偏安的意圖，並沒有繼承孫中山北伐中原，統一全國的打算。蔣中正則堅持完成孫中山遺志。1926年初，蔣中正已經躋身中央常委，並任第一軍軍長、東征軍總指揮、黃埔軍校校長，與汪精衛、胡漢民及譚延闓等人並駕齊驅，便計畫領軍北伐，貫徹孫中山統一全國的理想。

1926年6月5日，在蔣中正主導下，中國國民黨中央執行委員會臨時全體會議通過北伐案，蔣中正隨即就任國民革命軍總司令，在廣州誓師北伐，宣示打倒軍閥和帝國主義，追求中國統一、獨立與自主。他在《北伐宣言》中指出：其北伐的目的就是要「繼承吾黨　總理與諸先烈未竟之志」，「與帝國主義者及其工具為不斷之決戰，絕無妥協調和之餘地。第二、求與全國軍人一致對外，共同革命，以期三民主義早日實現。」

北伐軍訓練整齊，經費充裕，故進展迅速，1927年3月底，便已經抵達南京，收復民國初年的首都，並繼續北伐。1927年5月，進攻蘇北與河南，6月初，北伐軍占領開封，奉軍敗走，雲南、四川兩省則通電歸附中央。共產黨眼見國民黨勢力擴張，開始阻撓統一，策畫「南京事件」。此為國民革命軍北伐期間發生的一起中外衝突事件，當國民革命軍於1927年3月攻占南京之時，爆發軍人暴力排外行為，英、美軍艦乃炮擊南京，雙方均各有死傷。日本駐上海總領事指認此事件為基層共產黨派遣軍官及南京地區中國共產黨黨員合謀設計。為此，蔣中正理解共黨終為統一中國的重大障礙，乃計畫排除國民黨內的共黨勢力。

蔣先在1928年2月召開國民黨二屆四中全會，會中提出《整理各地黨務案》、《制止共產黨陰謀案》等，又廢除「聯俄聯共」政策。蔣中正開始與胡漢民合作，於1928年10月通過《訓政綱領》，主要內容包括：中國國民黨代表大會將於中華民國於訓政時期開始時，代表國民大會行使政權。中國國民黨全國代表大會閉會時，政權付託國民黨中央執行委員會執行之。

《綱領》中指出：中國國民黨應依照總理《建國大綱》所定選舉、罷免、創制、複決四種政權，應訓練國民逐漸行使，以立憲政之基礎。行政、立法、司法、考試、監察五項，付託於國民政府總攬而執行之，以立憲政時期民選政府之基礎。

1930年10月3日，中原大戰期間，蔣中正克復開封後，隨即建議中國國民黨中央執行委員會，「提早召開（三屆）第四次全國代表大會，確定召集國民會議，以議決頒布憲法之時期，乃制定訓政時期適用之約法。」11月12日，全會在南京召開，張群領銜提出召集國民會議並制訂約法的主張。1931年5月5日召開的國民會議中通

過《中華民國訓政時期約法》，又根據約法制訂《中華民國國民政府組織法》，孫中山的民權思想更向前推進一步。

（二）蔣中正深化孫中山民權思想

訓政期間，蔣中正對孫中山思想的理解漸漸深刻，並希望能建立孫中山思想的理論體系，因此組織了許多學者專家，從政治學、經濟學的角度，深化孫中山的理論體系，並在總理紀念週等各種場合中演說、提倡。

此外，蔣中正為強化孫中山思想，也在軍中與公務機關等訂定每周一舉行「總理紀念週」，除了說明時事與時勢外，也安排孫中山思想講演、闡釋等的相關內容。另外，1928年，國民政府訓令各級學校增加「黨義」課程，規定高級中學課程中應納入《建國概要》及《五權憲法》。1932年，教育部新頒「中學課程標準」，將「黨義」改為「公民」，教學內容則並未變更。

1935年，蔣中正下定決心，將行政中樞及兵工廠遷至西南地區，以與日本長期抗戰，又在四川峨嵋山辦理軍官訓練團，以推廣廬山軍官訓練團的政治經驗，調訓四川、雲南與貴州等省的軍官，加強其抗戰禦侮的民族意識與服從中央政府的信念。「峨嵋軍官訓練團」除了加強四川省軍事、行政與教育人員的思想訓練工作外，並在訓練團課程中加入有關「三民主義」的科目，親自對受訓人員說明對三民主義的解釋與補充。此時，蔣中正對原本的「五權分立」概念有些修正，因此他與幕僚討論憲法架構時，提出了許多看法，諸如：

關於憲法之意見，再補充如下：1.議會之權注重上議院，而眾議院族注重在經濟方面。2.政府內閣制。3.總統有緊急命令之特權，總統有解散議會之權。4.五院簡單化，例如審計

部、銓敘部、司法行政部皆改隸行政院，5.立法院之立法權與監察院之監察權對於議會之立法與監察權及其職權之分別，應特別詳明。6.各省改省長制。

但是蔣中正顯然沒有強硬規定的意思，僅是提供陳布雷帶領的研究小組參酌，許多意見也沒有納入日後的憲法中，說明蔣中正尊重專家意見及對制憲工作的嚴謹態度。

1935年底，中國國民黨在南京召開五中全會，蔣中正也在會前及會中發表他對孫中山思想體系的解釋，並且主張從1936年起，召開制憲會議，制定憲法，預備進入「憲政時期」，以還政於民。為此，政府於1936年舉辦制憲國民大會代表選舉，當時全國大部分地區都選出代表，唯有東北各省因為淪陷於日本之手，無法選舉。政府乃採取其他辦法，補足無法辦理選舉之憾。隨後，抗戰爆發，制憲會議延期，直到1946年才重新召開，並由原先選舉之代表參與。為此，國共談判時，共黨還主張重新舉行選舉，歧見頗深。

在此同時，蔣中正仍然不忘其三民主義建設的初衷，1936年8月，蔣中正出席廣東黨政軍聯合總理紀念週，演講「建設廣東為三民主義模範省」，提出：「建設新的社會秩序，造成新的社會風氣，就是轉移風氣振作人心」才能建設「三民主義的模範省」。

在抗戰期間，蔣中正仍積極計畫行憲。1942年11月，蔣中正應《紐約先鋒論壇報》（New York Herald Tribune，另譯《紐約先驅論壇報》）舉辦時事問題討論會之邀，發表民權主張，認為：中山先生的國民革命根本主義為：1.民族主義，目的在達到完全的國家獨立。2.民權主義，目的在進行徹底的民主政治。3.民生主義，目的在改進群眾的生活，使人民普遍滿足其生活。

蔣中正表示：經此次戰爭之後，中國充分達到國家獨立，民族自由的目標，但民權、民生兩大目標尚須長期努力。此所以他在1944年紀念中國國民黨建黨五十週年時指出，中國國民黨的重要目標是：「實行三民主義，使中國成為獨立民族，要建立一個真正主權在民的國家」，並要「體認國父倡導革命的遺訓，努力來完成國民革命抗戰建國的目的。」

1945年抗戰勝利，蔣中正立刻繼續制憲、行憲的工作。1946年11月，中國國民黨、中國青年黨和中國民主社會黨等國內主要政黨共同於南京召開制憲國民大會，以制定《中華民國憲法》。蔣中正在大會開會致詞，表示：國民政府秉承國父遺志，在北伐完成以後，就積極開始訓政，並以實行憲政、完成建國為最大目標。而此次制定憲法，乃為安定國家根本的要圖，實現憲政之治的發軔。

本會總計有一千七百零一名代表參與，台灣省也選出郭耀廷、顏欽賢、黃國書（新竹縣）、林連宗、李萬居、林壁輝、張七郎、鄭品聰、高恭、連震東、謝娥、南志信（當年註記為高山族）等人，專程前往南京出席會議。國民政府於1947年元旦公布《憲法》，同年12月25日正式實施。1948年4月，新組成的國民大會依《憲法》規定，舉行總統選舉蔣中正當選為總統，5月20日就任，希望能完成孫中山主權在民的憲政理念。但是，歷史發展總出人意表。首屆國民大會於南京集會時，卻因國共內戰形勢變化，會議當務之急是啟動修憲程序，通過《動員戡亂時期臨時條款》，以增修條文方式凍結《憲法》部分條款，擴大總統緊急處分權，以方便政府戡亂。國民參政會原作為國民政府諮詢機關，也在國民大會召開後，走入歷史。

根據《中華民國憲法》，中華民國政府除總統外，尚有行政院、立法院、司法院、考試院、監察院。1948年5月之後，五院也陸續依照憲法規定組成。7月中，監察院行使考試院長同意權，考試院正式成立，中華民國政府各機關完全就位，國民政府自此依法成為「中華民國政府」。

四、蔣中正在台灣實踐孫中山思想

1945年8月，日本無條件投降，結束了持續十餘年的戰事，中國應當可以進入和平建國時期。但此時國共內戰再起。由於人心厭戰，加上國際勢力干預，國民黨內部也不斷被分化、滲透，許多重要將領開始與中共勾結，甚至有加入中共組織，成為中共地下黨員者。這些人身居國軍重要位置，大量洩漏軍機，使國軍軍事行動失利，淮海戰役、孟良崮戰役失利，均是由此。情勢對蔣中正極為不利。蔣中正受國內外壓迫，已經有另起爐灶的打算，便於1948年8月起將許多人員、軍事物資、黃金庫存與故宮文物等重要文物轉移到台灣。

1949年1月，蔣中正任命陳誠為台灣省政府主席，兼台灣省警備總司令部總司令。經此安排後，蔣中正宣布下野，由副總統李宗仁代理，開始與中共談判，但時不我予，解放軍席捲大部分國土，中華民國政府宣布遷台。

1949年10月，中共宣布建立中華人民共和國，繼續南進，但12月底的古寧頭之戰，暫時遏止共軍渡海的意圖，隨後，蔣中正也宣布復行視事，並組織「中國國民黨改造委員會」，推動黨部改造。當時最重要的政治目標雖然是「收復中國大陸」，但實際上必須先面對「國家安全」的挑戰，穩定及發展台灣才是當時政治要務，故

蔣中正開始以台灣為基礎加強國家建設，此為三民主義自理論至實踐的重要背景。

1950年在紀念孫中山逝世時，蔣中正對國大代表、立、監委員及台灣省參議員致詞，仍不忘1947年行憲的旨意，強調「憲法的精神，在根據 國父遺教，一面要保障民權，以鞏固國基；一面也要伸張治權，使政府有高度的行政效率，以適存於世界。」不過因為當前處於「戡亂建國」時期，要弘揚憲政，實行主義時，「實有賴於各位民意代表及各黨各派賢達之士，精誠團結，審顧全局」。

蔣中正迅速體認，反攻復國必須先要建設台灣，因此開始在台灣推動各種建設，在民權方面，自然是要推動地方自治。台灣長期為日本殖民地，根據日本國會制定的「六三法」或「三一法」，當日本國內法律不適用於台灣時，台灣總督府得以行政命令代替法律，統治台灣。後來日本為了面對民族自決的國際風潮，日本內閣及總督府開始不斷推動「內地化」、「皇民化」，試圖達成「內台一如」，雖在民權實踐上也辦理了所謂的「街庄議會」，但並無任何實質功能。

第二次世界大戰結束後，台灣省行政長官公署原本曾經公布《台灣省各級民意機關成立方案》，規定最基層之民意機關如鄉、鎮、縣轄市、區民代表會等實施直接選舉，縣、市參議會與省參議會則由下級議會間接選舉選出，但省參議會與各縣市參議會僅具有諮詢性質。此種制度與日據時期相去不遠，許多台灣知識分子頗為失望。政府遷台以後，便以直接民權為施政重心。

蔣中正開始在台灣推動各種建設。在民權主義方面，首先於1950年4月通過《台灣省各縣市地方自治綱要》，準備實施地方自

治，其中以台灣省諮議會為重要的代議機關。《自治綱要》隨即於7月2日實施，縣市長與縣市議會議員、鄉鎮市區長等原為省政府派任，現改為公民直選。由於縣市長選舉尚無先例，因此政府特意選擇人口較少，選務較單純的花蓮縣辦理。當選人楊仲鯨原籍鳳山，為台灣第一位留美學生，中國民主社會黨黨員。花蓮選舉順利完成後，各縣市陸續辦理，台北市市長也由無黨籍人士吳三連當選。此外，台南與台中市長均分別由無黨籍人士。台灣地方自治工作順利步入正軌。因此，蔣中正在1951年2月對台灣省黨部改造委員宣誓就職典禮時指出：「台灣處於當前的時機與地位，不但一致認定做反共抗俄復興民族的根據地，而且要努力建設使成為完成國民革命實行三民主義的模範省。」

1949年底，政府遷台之後，不斷面臨來自共軍的武力威脅；當時台灣人口結構中，大陸來台軍民約占五分之一，由於彼此互動時的摩擦及生活文化及居住區域的隔閡，中華民國在台灣的處境便亟需有一意識型態團結國民。1950年韓戰爆發之後，美國介入台海事務，國家安全稍獲保障，政府方得以從事國家建設；因此，以「三民主義」作為立國精神及政治實踐的工作成為首要任務。事實上，自政府播遷來台後，蔣中正便積極思考：「總理手訂的建國大綱，就是達到『政治民主』的步驟。實業計畫就是建設『經濟民主』的藍圖。我們要尋求建國大綱的主旨，必須研讀孫文學說，纔能理解國民革命從非常破壞到非常建設的方略。我們要探討實業計畫的內容，必須就民生主義演講已經提出的食衣住行四個問題和總理沒有講完的育樂兩個問題，加以研討，纔能體會民生主義為自由安全的社會而計畫的意義。」

為此，蔣中正再於1953年發表《民生主義育樂兩篇補述》，闡述他對建設自由安全社會目標設定，探討生育、養育及教育相關

課題，並敘述康樂的意義與重要，最後指出：國家建設需要有良好的物質條件及精神條件，並且清楚提出民生主義建設的最高理想。九年國教、健康保險乃至日後的全民健保，均是根據這個理想發展而成。

蔣中正對行憲一事，始終念茲在茲。1954年底，中央舉行總理紀念週，蔣中正特別指出：「今（1954）年元旦文告中具體指出要在年內完成兩件事情：第一件是召集國民大會，這已經如期完成了。」他特別在總理紀念週中提出，頗有告慰孫中山在天之靈的意義。

蔣中正認為：如何加強國人對孫中山的認識，才是行憲的重要核心工作。然而，當時國民黨員人數僅五萬左右，他們對孫中山的建國理想的認識未必充分，遑論當時絕大多數台灣居民。所以蔣中正計畫實踐三民主義理想時，必須先使台灣人認識三民主義，教育自然是重要的方法。

台灣光復之後各級學校陸續恢復，但當時學校數目不多，學生人數亦少。根據統計，1950年代初期，台灣高中生人數約為二萬二千人，課本與教材也不統一。當政府決定在台灣加強三民主義教學時，便於1953年底制定「高級中學三民主義課程標準」，於1954年公布實施。1955年，教育部進行修訂「中學教學科目及時數表」，規定高中一、二年級講授「公民」，三年級講授「三民主義」。以後各級考試中，三民主義或國父思想均為考試內容，國人對三民主義的認識逐漸普及。

不過行憲過程中一個較大的遺憾是，民意代表選舉與產生因時空環境而受到限制。1947年11月至1948年1月間，政府依照憲法，選舉第一屆國民大會代表、立法委員及監察委員，任期分別為三或

六年。這些民意代表於1948年3月至6月在南京集會就職，許多人跟隨政府來台，繼續行使職權。任期屆滿應當改選之際，卻因國土已失，無法改選，乃予以延任。這種情況與蔣中正的基本認知有關。蔣中正原本主張「半年整訓，鞏固基地，一年反攻，三年成功」，後修正為「一年整訓，二年反攻，掃蕩共匪，三年成功」。雖然這樣的目標一直拖延，但他仍然堅信，必能迅速重整河山。因此中央民意代表雖應改選，但鑒於1936年因抗戰而推遲制憲會議，仍保留選舉結果的經驗。保留大陸地區所選中央民意代表之資格與職權，也是無可奈何之事。

除了思想教育，也在實際上或主動或被動地逐步推展「還權於民」的工作。教育手段能為人民對「公民權利」的概念打下基礎，能對自由民主等抽象主張下，具體的共和、憲政及人民與政府間關係的內涵理解更為深刻，這不只培養國民真正具有「公民意識」，同時反過來使人民能夠根據這些理念對政府求全、求備。因兩岸政治問題影響，導致政治改革雖不斷進行但頗受約束（《動員勘亂時期臨時條款》、《戒嚴令》即為其法源），人民亦能反過來以自己受《憲法》保障的固有權利要求政府「正常化」，其過程雖屢受挫折，但仍為一強大的動力迫使政府實踐孫中山的民權思想，包括解除戒嚴、黨禁及報禁、終止動員勘亂時期，甚至1996年的總統直選，都是孫中山「三民主義」民權主義的具體實現。

構思「後民權主義」之兩岸新古典民主主義

周世雄

東風夜放花千樹。更吹落、星如雨。

寶馬雕車香滿路。鳳簫聲動，玉壺光轉，一夜魚龍舞。

蛾兒雪柳黃金縷。笑語盈盈暗香去。

眾裏尋他千百度。驀然回首，那人卻在，燈火闌珊處。

——宋 辛棄疾，〈青玉案·元夕〉

一、前言

任何一個國家都有自行運作的政治系統，相似或互異並存於世，不足為怪。政治是管理眾人之事，在君權神授時代由君王說了算，大權集於一身；惟自晚近以降，政治理念遂進化為統治者權力是來自於被統治者同意或授權，這就是孫中山所論「人民有權，政府有能」——「權能區分」的理論基礎。換個說法就是人民當家做主，政府公職人員是人民奴僕，也就是今日各方普遍認知的「民主」。民主政治之能順暢運作在於人民無法直接託付權力時，必須透過制度運作選擇「統治者」，就形成當今依賴定期、公正、恆常選舉制度以擇優「統治群體」，至於以何種方式選舉，各國均可依國情、文化、傳統不同而定之。是否擇優自然另當別論，果爾擇劣，形成惡質政府，罪亦不在民，而是統治者其心可誅。

在政治系統中於是出現「程序正義」與「治理正義」，兩項殊途同歸有關「正當性」論述，二者缺一不可。政治運作必須依法行政（憲法—法律—命令三位一體），監督制衡互為犄角，使之權力能均衡照拂黎民，不至於失衡偏頗。統治者（政府）制定政策（Output），吸納民意反饋（Input）再修正政策，直至盡善盡美循環不已，是所謂善政；既照應程序正當性，亦穩固治理正當性，是謂真正民主，實現民主理想國，既合於西方民主論述，也融合中國傳統民本思維。

民本思維可遠溯至商周，周易所論「天行健，君子以自強不息。地勢坤，君子以厚德載物。」民本思想定錨於此，自文王孔孟老莊法墨以降，均認定君子（統治階層）之存在必須呼應天地循環有道，行仁厚民。

黑格爾說：「人類從歷史學到唯一的教訓，就是人類沒有從歷史中汲取任何教訓。」這個世界是個多元組合體，各式各樣不同歷史文化，並非「非黑即白」，從人種上看，更是呈現多元化；白種人、黃種人、黑種人……不一而定，繽紛色彩，各擅勝場。不同人種（種族）所建構政治系統自然各異其趣，尊重包容是這個世界唯一順利運轉法則。但不幸的是這個世界正如黑格爾所描繪的「歷史不斷重複人類的錯誤」，戰爭衝突趕走和平安全，戰爭的時間占據太長的歷史故事。

二、美台政治民主化僅滿足程序正當性？

孫中山生長於中國被列強瓜分的時代，中國積弱不振，西方強權紛湧而至，在中國恣意分食主權。孫中山領導的革命就是要改朝換代，推翻滿清，建立共和國體制。革命說的軟些就是「你下來，

我上去」，說的硬就是「殺頭流血」。中國五千年歷史長河，沒有一次改朝換代是軟性讓位，除了「堯舜禪讓」外，基本上都是採取流血革命。西方也不例外，這是人類通性。作為一名醫者本性，遊歷列強各國，孫中山的三民主義主張各民族必須自由解放，各民族必須平等對待，人民必須擁有平等參政權，各民族必須相互愛護尊重。自由—平等—博愛乃為三民主義的思想基礎。民族—民權—民生與自由—平等—博愛對應，展開中國土地上新的一輪辯論。

也因為孫中山十次革命成功，終結了中華民族自秦始皇統一中國後的兩千多年歷史王朝體制，把西方——尤其是法國革命、美國革命後所謂「現代國家」理論帶進中國，對中國傳統上儒家倫理道德衝擊至今仍餘波盪漾，東西論戰仍未到頭。在中國土壤上，講的是統治階級必須具備仁義道德，施仁政，視民如己出；在西方，強調人是自利自私，違法亂紀是常態，必須依法防治，尤其是針對統治階級更是要嚴防看管。

這是兩種截然不同思維方式，彼此碰撞，孫中山固然看到西方船堅砲利，但孫中山也揣摩在西方代議體制下，如何給黎民百姓更完整的權利保障。這就是行政—立法—司法—考試—監察五權憲政下，孫中山認為人民應有選舉—罷免—創制—複決直接民權，以補代議間接民權之不足。由於篇幅所限，直接民權論非本文重點，不在文中另述。但在看待孫中山的思想時，也應一併理解孫所處的時代，與一百五十年後從現代觀點投射回去能看見的思想菁華，直接民權的移植就是皇冠上最亮的鑽石。

論者嘗謂民權主義的思想菁華就是西方先進國家在全球各地強行傳輸的「自由民主」，這是相當誤解的詮釋。西方國家（歐洲及美、加）現今運行不綴的政治體系，其實源自1648年《西發里亞和

約》（Peace of Westphalia）簽訂後，西歐各國確定疆域及主權範圍而衍生「民族國家」概念，回溯其歷史背景也就僅四、五百餘年。當前國際體系下，西方民族國家從過去帝國主義及殖民主義一路走過來，在全球各地殖民擴張，足跡遍及亞、非、拉現在相對落後洲域。從殖民地吸取養分資源，再轉運回母國，壯大本國產業。基於個人至上，個人主義演化出「人民當家做主」及「自由主義經濟之資本主義」，在全球各地強行輸入。美國作為全球第一強權，對於不願順服國家，輕者制裁、重者促其政權更迭。台灣追隨美國後塵，所不同的是缺少了強大國際政治權力，而無法呼風喚雨。

瞭解西方強權過去歷史文化背景，可以進一步分析在殖民擴張基因序列所建構政治體系內涵，基本上，美歐各國所強調的是政治必須是循環反饋系統。人民當家做主是指每人都有平等參政權，票票等值，而透過公平、公正、公開的定期選舉，選出人民公僕。這些公僕只有選舉期間肯向主人低頭求票，一旦選票投入票箱，主人與公僕位置即產生變化，而往後四、五年，主人可能淪為奴僕。選舉成為檢驗一個國家是否自由民主的測試劑，「沒有選舉就不是民主國家」成為西方先進國壓制開發中或落後國家的壓箱寶，任何時間、地點都可以拿來當槍使。

在循環反饋政治系統，真正的民主國家是統治階層（其實是人民公僕）銜命制定政策後，必須傾聽民意，隨時修正出台政策，謹慎護守「爾俸爾祿，民脂民膏」，而進化至孫中山所謂「天下為公」之大同世界。很可惜，觀諸晚近西方強權及台灣政治體系，都是做了半套，雖有選舉之名，但選舉後治理績效卻乏善可陳。更糟的是，因為選舉，為了奪權，掌握資源分配權力，政黨鬥爭更是殺紅了眼。有為意識形態而鬥，有為執政路線而鬥，幾乎少見為「天下為公」而爭，美國和台灣近年選舉，已見分裂趨勢，斑斑可考。

而在治理績效上，美一台呈現政策偏失，貧富嚴重不均，遊民暴增，離均富理想已遠矣。

故形式上選舉，並不保證後端治理成效。在學理上可以歸納出半民主國家，意指徒有程序正當性，而無實質正當性。反之，徒有治理績效之實質正當性，而無選舉程序上正當性，也是半民主國家。二者都有缺憾。

民主在中國大陸土壤上成為什麼狀態，或以哪一種形式呈現於世人，必然是全球各國都關心之大事。問題還是要回到中華民族傳統歷史文化去尋找答案，本文後續另有析論。

就本質而言，台灣現行政治體系雖奉行孫中山五權憲法運作，但實際上運行主軸仍為西方行政一立法一司法三權分立，考試與監察兩權嚴重式微，民進黨在野時高喊廢除考、監兩院，但於兩次執政後仍未動手廢止兩院。惟就選舉過程而言，前述選舉（形式正當）內涵卻也愈發偏離政策辯論核心。以台灣近年選舉為例，不難觀察到台灣沾沾自喜的各項選舉，究其內容，實不堪聞問，選舉品質低落，政黨惡性鬥爭，復加意識形態作祟，民主成功轉型為民粹，舉世並不多見。美國情況亦每況愈下，共和一民主兩黨惡性競逐，民粹猖狂，美利合眾國正步入分裂，正如2017年美國總統卡特（James Earl Carter Jr.）的國家安全顧問布里辛斯基（Ian Brzezinski）在去世前尖銳所指：「美國在文化上衰敗，政治上分裂，財政上通膨，帝國倒下去只是時間問題。」有關美國正走向政治分裂之路，詳見周世雄，〈新古典社會主義對台灣的啟示〉，收入《台灣的抉擇2》，頁161—174；本文不再另述。

2020總統大選蔡英文拿下817萬票（如果沒有弊案？），是自1996年總統大選以來個人最高票數，締造「蔡英文障礙」。開票那

構思「後民權主義」之兩岸新古典民主主義

夜，超過六百多萬藍營選民成為中華民國「另外一邊」。憤怒、失望、失眠、沮喪，甚至是痛哭流涕是這一邊選民的症狀。反觀勝選的綠營選民，歡欣鼓舞，儼然「台灣獨立建國」大功告成，因為這群台灣人民造勢場合從未出現一幅中華民國國旗。台灣因為每四年的總統大選而撕裂，因為國家認同而對立，談團結真是太奢侈。這種選後創傷症候群同樣發生於2008年「馬英九障礙」（765萬票），及2000年、2004年陳水扁勝選，這廿年的對立仇恨已經很難化解，只會「越選越裂」，有這樣的選舉，台灣還需要敵人嗎？

參與政治者如果還有一點良心是否該想想如何清除台灣民主障礙。總統選舉所造成的傷害是肇因於制度設計不良。總統有權無責，尤其主掌國防、外交、兩岸重大政策。偏偏荒謬的是主管這三個範疇的部長卻是行政院閣員，部長的直屬長官是行政院長，總統可以越過院長直接指揮部長而不需國會監督問責，這不是國際大笑話嗎？總統大選是零和競賽，勝者全部端走，自然造成惡性競爭。各種醜化，抹黑、抹紅，造謠手法充斥，加上網軍暗黑，候選人的人格已嚴重扭曲。其實嚴格的講，勝選一方，已經被攻擊的「不像正常人」，敗選一方何嘗不是如此。總統被批的體無完膚，如何正常領導國家，假如對手說的屬實。

台灣現行的總統選舉必須改弦更張，何不考慮將選舉總統改為「選舉總統委員會」？總統委員會亦可稱為「執政委員會」，由總統大選獲票較高前四大政黨主席或政黨推薦人士組成，每人擔任總統一年，輪流任職總統大位。總統屬性比較是象徵性國家最高領袖，對內對外各種重要慶典由其主持，不必赴國會備詢，但每年發表國情咨文。真正操盤國家大政者將落在行政院長，院長必須在國會取得三分之二（含）以上席次，以便推動政務，由行政院向立法院負責。

三、台灣獨漏治理正當性？

台灣第一項治理障礙在兩岸關係，藍綠兩黨互扣對方「賣台叛國」及「台獨叛國」。支持者持國旗、綠旗互相對峙，對國家認同的分歧甚至禍延家庭、朋友、同事，情況極其嚴重。蔡總統大談團結，這種對立情況，如何團結國人？喊喊口號無濟於事，除非大破大立，否則四年後更加嚴重。藍綠兩陣營必須擱置統獨爭議，以先建設台灣優先。認同台灣人並不排斥認同中國人，反之亦然。年輕世代出生於台灣，先有台灣認同並不為過，亦屬正常。說是「天然獨」不如說是「天然台」更準確。兩岸關係不如放在全球格局考量，台灣必須立即對全世界開放，對中國大陸採取和平友善全面關係。和平、對等，但友善才能為台灣添加活水。歡迎全世界來台灣投資、觀光、交流，尊重各國政治制度及人民生活方式。台灣政府應該停止散播「仇中」、「恨中」言論，透過友善交流，呼籲北京平等對話，和平發展兩岸關係。至於回應習近平「一國兩制：台灣方案」，蔡英文「中華民國台灣之維持現狀」與國民黨「一個中國，各自表述」均無力招架。蔡的說法極易引爆大陸十四億人民反彈，引發兩岸衝突。中國大陸從未放棄「祖國統一」，差別只是「武統」或「和統」。藍營主張「一中各表之九二共識」也已走下神壇，概北京從未正視「中華民國」。故藍綠兩黨在戰略上應回歸《中華民國憲法》及《兩岸人民關係條例》，在中華民國體制下，依循孫中山先生思想從民族主義範疇促進兩岸人民歷史、文化認同；在民生主義範疇促進兩岸人民「均富繁榮」；在民權主義範疇尊重兩岸各自政治制度及生活方式，促進中國大陸進一步開放及自由民主，在這個議題上，台灣將扮演長照不熄的燈塔效應。在和平、對等、善意原則下交流，兩岸的統一問題才有討論空間。

第二項治理障礙在於民粹。奉勸執政民進黨應該理解國際間大多數戰爭衝突皆起源於誤判。台灣有民粹，大陸十四億人民也有民粹。民粹對撞，台灣人民幸福將成泡影。作為國家領導人更應深知人命關天，不可輕易耍弄。民進黨再一次完全執政，有責任告訴國人真相，至於更改國號，政黨改名均屬表面議題，而非內涵問題。台灣往何處去，要團結台灣人民首先把「民粹障礙」清除掉吧！

看看選舉民粹有多嚴重，就知道治理障礙有多深，真是積重難返，一葉知秋。尤其是近二、三年新冠疫情爆發，更突顯政府治理低能。台灣號稱自由民主選舉，其實選舉內涵很低俗。藍綠兩大政黨動員拼場，動輒數十萬人上街集結造勢，嚴重破壞居住安寧。人們只要問一句話：「憑什麼在我家門前造勢，而不在你家？」尤其是仇恨對立動員更是等而下之。政府依法劃定動員造勢區域、管制交通，影響住家（尤其垃圾），醫院及各種公共設施，附近受影響的老百姓有人權嗎？再說一次：「憑什麼在我家門前造勢？為什麼不去你家？」民進黨既已完全執政更應該負責任與在野黨協商，推出一套理性、寧靜、具環保意識的選舉辦法。拋棄勞師動眾敲鑼打鼓式的民粹動員，提升台灣選舉文化進入先進國家之林。台灣選舉應走向歡樂、簡單、安靜面向，最重要是候選人不再為天文數字的花費而坐困愁城。

清除台灣選舉障礙是件複雜工程，亟需朝野合作，否則台灣的選舉只是有名無實，只方便政治人物狂嗜權力春藥，但台灣的政治卻快速沉淪，終致無力回應大陸的統一召喚。

冷靜分析台灣的選舉過程，立即發現上述疑難雜症並不容易解決，單就民主的形式已見支離破碎，更遑論勝選後的治理正當性如何落實？正是「馬上得天下，馬下失天下」，民進黨自2016年執

政至今，有多少政績留在人民心中？以近三年Covid-19疫情而論，真是慘不忍睹。疫情初始，台民狂缺口罩，疫苗不足，及至2022年起，又缺快篩劑，疫情爆發，成為全球重災區。能源出包，尤其電力吃緊，「無核家園」成為口號治國及意識型態掛帥的獨門招牌，更別論斷交七個國家，外長毫無愧色，治理正當性於焉何在？

四、中國大陸側重治理正當性

「以民為主」與「以民為本」有何差異？以美國為首的西方國家每以「自由民主」自我標榜，並運用為審查其他國家是否達標，是否符合「自由民主」標準。在東方世界，尤其是受過儒家思想影響的國家或區域對於民主則有不同看法。這些有別於西方的民主認知，主要是受到本國歷史文化影響所致。在中國，對於民主的解釋，不論立足點或內涵均深受中國深厚歷史文化所繫，與西方強權並不一致。而中國人的世界對於民主的詮釋可能更趨向於民本思想，即是人民能活得更好、更富裕，比所謂是否自己當家做主更重要。

在中國傳統文化中從來不談民主，而更重視民本。易經有云：「天行健，君子以自強不息；地勢坤，君子以厚德載物。」二千多年來，易經的啟示告訴擁有權力之人（君子）必須重視倫理道德，愛民如己出。對於執政者的要求是行事必依天道循環，所謂天網恢恢，疏而不漏。邪不勝正，正道永遠是唯一選擇。故古之讀書人（士）經由科考入仕，取得功名，雖名為皇室效力，實為安民濟世。在傳統文化觀念裡，人民不必當家做主，老百姓需要的是天縱英明好皇帝，及一群品行操守兼顧倫理道德的好官員，則可安民心，民之衣食足矣。所以統治群體必須知榮辱，心懷廉恥，把名聲

留給後人。類似現代西方及台灣政客「不要臉」、「說謊造謠」是不容於過去為政者。當老百姓覺得皇帝不要臉，官員無恥，老百姓並非透過選舉請君下台，而是群起造反，推翻政權而快之。所以「楚雖三戶，亡秦必楚」之說由此而來，有德者治天下，暴政必亡。孟子名言：「君之視臣如土芥，則臣視君如寇讎」，這是君臣倫理，同樣可適用於君民倫理。人民開始對施政不滿，雖見星星之火，但卻可燎原，為政者不可不慎。中華文明歷經四、五千年，太平盛世時間短促，亂世居多，照理說中華文明早該被掃進歷史灰燼，但卻不同於其他古文明，仍然繁衍存續，似乎是個悖論，引發中外識者關注。

中國共產黨統治中國大陸，向被西方強權譏諷「一黨專政」、「缺少民主機制」，就政治體系運作而言，中共確實並未全盤西化，並未把西方的形式民主（選舉正當性）完全接受，而是自行尋找出路。其主要原因仍根源於傳統歷史文化使然。換個觀點，假設國共內戰是由中國國民黨獲勝，國民政府就能完全照搬西方選舉模式到中國嗎？答案可能是否定的。孫中山主張「軍政─訓政─憲政」三步走，以穩定政局，但爭奪大位者眾，國民政府實施憲政後，全國人民仍未理解何謂「選舉」與「民主」的道理，西方民主模式在中國顯然水土不服。這不是誰對誰錯的問題，而是歷史文化的糾結。中國人習慣家長制方式，家族意識濃厚，姓名有其歷史意涵，有些姓氏甚至遠溯二、三千年前。所以，男女婚嫁不僅是兩人婚姻，幾乎是兩個家庭甚至兩個家族之間的緊密連結。西方人的姓氏很難溯源二、三千年前，大多只是個符號或稱謂。中國疆域廣大，人口眾多，種族繁複，語言文字統一，在全球古文明國家（如希臘、羅馬、埃及、巴比倫……）是唯一僅存的大國；中國呈現的不僅是現代西方民族國家，更有古文明國家樣態。所以在政治制度

上必然融合現代因素與傳統元素。前者有如西方基層選舉，但並非全國普選；依憲法區分行政、立法、司法權責，這些功能與西方無異。後者如「一黨專政」、「清廉問政」則類似傳統帝制，下設文武百官，各司其職，其功能是為王室效命，鞏固政權，教化民心，賴以封官晉爵，光宗耀祖。中國共產黨是個特殊團體，型態又很類似過去歷代王朝加上科舉擇優的官僚體制，階層嚴密，依令行動，政治概念上就是中國大陸通稱「民主集中制」。

現代中國呈現的樣貌是十四億人口，近一千萬平方公里領土，五十六個民族，這些樣貌並非擴張侵略而致，大抵上是由文化包容力形成。即使是「蠻族」也能融合於中華民族，如元、清兩朝即以異族入主中原，最後融於漢化。這種力量令四方敬畏，形成中心—邊陲朝覲體系。中國不需以武力征服四鄰，只要面子上坐鎮中心，四方鄰國按時進貢送禮，就可維持彼此穩定關係。明朝永樂皇帝派遣鄭和下西洋宣揚國威，所攜金銀財寶（含瓷器）多數贈予到訪各地，遠至東非，明朝船隊並未留下殖民，或占有一磚一瓦。馬來西亞總理馬哈地（Mahathir bin Mohamad）曾被問到：「中國和西方強權，誰是敵是友？」馬哈地回應：「馬來西亞和中國二千多年的鄰居，中國未曾入侵一次；但歐洲國家到馬來西亞，隔年就占領馬來西亞；和中國做朋友比西方好。」這些傳統元素如融合包容都揉進現代中國統治者血液中，無法捨棄。

回到治理正當性問題，中國統治階層是否達成人民期望？正如孫中山在民權主義中所論「權能區分」、「選賢與能」、「天下為公」？首先檢視現在中國大陸的執政黨——中共——成長過程。中共於1921年建黨，1949年建立中華人民共和國；1966年文化大革命逆流；1978年提出對內改革、對外開放，引進西方資本注意市場經濟機制以融合社會主義計畫經濟；1982年提出具有中國特色社會

主義；及2017年十九大習近平新時代中國特色社會主義及中華民族偉大復興。持平而言，一個建黨百年左右的政黨在短短時間養活十四億人口，從貧窮落後次殖民地，進入小康社會，在推進到國富民強，主張人類命運共同體，過程堪稱奇蹟。而西方先進國家走了三、四百年的發展經驗，在中國只用百年時間即達到全球第二大經濟體，這種崛起速度令人難以想像，其他國家或政黨真是不易比肩同坐。毛澤東建國有功，發動文化大革命有過，「三反五反，人民公社」更是不堪回首，在政治民主論方面堅持新民主主義，以明確區隔西方資本階級民主論。新民主主義於1940年提出，是對殖民地或殖民地國家的無產階級領導民主革命，是反對帝國主義、封建主義、官僚資本主義的革命。由中國共產黨推動無產階級革命，掌握革命領導權，實現由新民主主義過渡到社會主義。簡言之，在做為階級革命理論，頗具成效。在中國就是要及時完成社會階級翻轉，政權必須由廣大工農兵群眾掌控。

論者嘗質疑「一黨專政」及「民主集中制」違背歷史潮流，甚至遠離國家現代化進程，尤其與西方「自由民主論」頗有差距。這種論點似乎忽略了前述中國歷史文化因素對中式「民主政治」的深厚影響。另外，從幾個指標或社會現象可以捕捉到中國共產黨在這廣袤大地治理績效。首先就政治穩定性而言，毫無疑問，十四億人民的溫飽問題得以解決，脫貧任務達標，國民所得穩定成長，經濟總量可能於2030年追平美國，這些數據均經國際機構確認。人民口袋可支配所得增加，對政府滿意度相對增加，從經濟效應轉換到政治穩定就更加容易。畫大餅、喊口號是買不動人心，過去文革期間已見證磨難。第二個指標是人的因素，能制定好的政策，造福百姓，必是一群有能力的人才組合，才得以集思廣益，制定國家發展總路線，在資源有限情況下，讓國家資源做最有效發揮，這些

都依賴人才做決策。台灣的選舉模式，照顧了公平性，每人一票，阿狗阿貓不論貴賤智商，只要選上了就是「一條龍」，哪怕他的本質是條豬，都可以換裝，搖身一變在立法院當起法案召集人，掌握人民生殺大權。在中國大陸情況不同，要成為國家級領導人，必須經過層層歷練考核，從地方職務幹起，能力不足或德行太差在半途中就遭淘汰。當過幾個大省分的一把手，才有資格晉升最高領導人位階。激烈競爭汰換自不在話下。年輕人想從政，申請入黨是必經之道，但篩選嚴格，也非想入黨就能入黨。所以，權和能必須同步到位，有權無能，國家必亂；反之，有能無權，國家必衰，不進則退。這是政治體系的硬道理，孫中山早就看到二者必須合而為一。權能區分始能各自發揮效益，也符合中華傳統文化所論及「天人合一」，正道循環不息，萬物有所仰賴。

　　對於一個百年左右政黨是否堅持走完下個一百年，無人知道答案。歷史上不乏王朝興衰更替如常，元代不滿百年即走下神壇，也有歷經二、三百年或更久才覆亡者。眼前的中共治理成效至少大陸人民是高度肯定，但誰也不敢肯定斷言，哪一天中共決定補足民主程序的正當性，把選舉層面逐級擴大，從基層到高層，從地方到中央，誰都說不準。

五、結語

　　孫中山揭示「選賢與能」、「權能區分」、「天下為公」為民權主義菁華，可惜孫中山去世太早，未見國家發展是否符合他的期望，擁有權力猶如吞嚥毒品，會上癮發作。大多數政治人物或政客每每假藉「為民服務」或「以民意依歸」爭權奪利，致使政治系統汙穢不堪，難以聞問。不論中外，透過選舉，拔擢人才，提升政治系統施政效能，以滿足人民需求，是謂政治常態，也可視為「以民

為主」，即所謂「民主政治」。西方民主政治模式率以美式兩黨制及歐洲多黨制為標範，台灣民主模式大抵也跟隨美國發展。

美式兩黨競爭幾乎走到極端，所謂賢能政治，權能政治早已拋諸腦後，更別論胸懷「天下為公」無私精神。端視2020年共和黨川普總統（Donald Trump）與民主黨拜登（Joe Biden）的總統競選過程，這兩位候選人哪有國家利益觀念，選後，川普號召群眾衝入國會，造成暴動，美國是必須走上分裂之路。布里辛斯基去世前的預言可能成真。美國畢竟是民族國家，三百年興衰史足矣，歷史文化深度不夠，是其致命傷。一個以個人主義至上，缺乏倫理道德的自由競爭帝國，快速成長，必然快速崩塌。台灣的選舉模式也同樣呈現疲態，僵化的兩黨競爭，又附加意識形態對立，國家認同分裂，競選方式走向民粹動員，選舉品質始終無法提升，導致取得執政權力後，從未進行長期政策規畫，施政效能每況愈下。年輕世代走出校門難覓工作機會，薪資長期停滯，造成嚴重貧富差距，這種現象美國亦然。唯一能自我安慰的是「一人一票」，程序的正當性還勉強維繫，至少投票那天，老百姓做了一天「主人」。在西方，民主政治能搬上檯面、經得起深入批判者，還是得從多黨制運作且經濟發展順暢的若干國家如瑞士、荷蘭、挪威等國探尋，本文不另作分析。

中國大陸選擇發展路徑與西方模式迥異，嚴格篩選從政黨員，逐級拔擢，淘汰劣質。權能區分亦同步權能合一，是否胸懷「天下為公」、「無私無我」還需觀察。中國共產黨建黨百年，能迅速提升國家能量，脫貧成功，躍升為全球第二大經濟體，雖未施行普遍選舉方式，惟其後端治理績效令人刮目相看。北京成功的背景因素是保留中華文化傳統的倫理道德意識，假以時日，中國大陸也可能翻轉成程序正當性與治理正當性的平衡發展模式，值得等待。台灣

和中國大陸在民權主義範疇的競爭各有擅場，仍有成長空間，如何將西方民主政治論述與中國傳統民本思維融合，也就是本文前後不斷強調程序正當性與治理正當性的均衡融合，才是所謂「新古典民主主義」於「後民權主義」的卓然有成。

台灣的抉擇❸——人民有權？政府有能？

台灣民主社會的發展、困境與展望

洪泉湖

唱一段思想起 唱一段唐山謠
走不盡的坎坷路 恰如祖先的步履
抱一支老月琴 三兩聲不成調
老歌手琴音猶在 獨不見恆春的傳奇
落山風 向海洋 感傷 會消逝
接續你的休止符 再唱一段唐山謠
再唱一段思想起 再唱一段思想起
——作詞：賴西安，〈月琴〉

一、怎樣才是民主的社會？

民主是世界上多數人所盼望的理想價值，民主社會是大多數國家及地區的人民所追求的生活環境。但若從世界各國所經歷的史實來看，民主社會的形成，並非憑空出現，因而，如何打造一個民主的社會，也就很值得我們去探討。

要瞭解民主社會的發展，首先得瞭解什麼叫「民主社會」。所謂民主社會，依政治學的說法，至少要符合以下三個標準：

第一個標準是這個社會的人民權利（rights）要受到良好的保障。所謂「人民的權利」，又分為三大項：第一是人民的基本權利，包括身體的自由、言論思想的自由、居住遷徙的自由、信仰的

自由、通訊自由、集會結社自由等等；第二是社會權利，包括工作權、財產權、教育權、福利服務權等；第三是群體的權利，包括民族權、文化權、環境生態權、婦幼權、老人權等。

這些權利，要如何才能獲得保障呢？首先是這個國家要有一部人民所同意的最高法律——憲法，在憲法中明文規定這些權利應受保障；其次是在這種憲法之下，又經民選的立法機關，依據憲法訂定各種相關的法律，來保障這些權利的實現；然後再依法授權國內各級政府執行對這些權利的保護或促進。當然，人民與人民之間，也應相互尊重彼此的權利，否則就會受到法律的制裁。

第二個標準是政府的組成必須經過大多數民眾的同意，才有統治的正當性。人民同意的方式，主要透過選舉。但依政治學者的意見，選舉要做到公正、公平、公開，才有意義。這就是說，選舉的過程要具有競爭性、選舉的結果要有不確定性，而且要定期改選。「過程有競爭性」是指參選名額應多於應選名額，如果應選名額一名，而參選名額也只有一人，這樣的選舉就沒有競爭性，而且選民無法選張三或李四，這種選舉，選民失去了「選擇權」，那就沒有意義了。「結果的不確定性」是指選舉的投票是秘密（不公開）的，任何選舉人或政黨在選舉前都無法預知誰一定會當選，或哪一個政黨一定會當選幾個席位。至於「定期選舉」，則是限定當選的行政首長與民意代表，必須有任期限制，在任期內他應盡力達成選舉時對選民所承諾的事項，同時選民也對他的施政效率及操守進行再評估，使他知所敬畏，這同時也是給選民再一次的選擇權。有了這些機制，政府官員及民意代表們，才能時時重視民意，否則可能就會被選民所唾棄，形成政黨的輪替。這樣人民才能真正成為「國家的主人翁」。

第三個標準是民主的社會，必須是一個「人民有尊嚴」的社會。所謂「有尊嚴」，是指人民衣食無缺、棲身有處、就業有路、百工平等、不受歧視，又能自由表達意見，身體不受侵犯。人與人之間能相互尊重，政府官員也不能對民眾做出不合法的管制和監控，甚至不能高高在上，對民眾粗暴、虐待，這樣的社會，才是「有尊嚴的社會」。美國總統羅斯福（Franklin D. Roosevelt）於1941年曾經說過，世界各地的人民應該享有四項基本自由，那就是言論自由、信仰自由、免於匱乏的自由、和免於恐懼的自由。德國在第二次世界大戰前，希特勒以納粹黨統治德國，屠殺猶太人，發動第二次世界大戰，導致成千上萬的人民死於非命，這種人人恐懼的社會，絕不是民主的社會。

二、民主社會是怎麼發展起來的？

　　傳統的專制或神權社會，以及近代的極權社會，為什麼會轉變為當代的民主社會，它的動力何在？我們認為至少有下列幾個「動力」：一是人民天生地想要自由與安全。人的本性是希望自己能過著無拘無束、自由自在的生活，凡事都可以不受他人、家庭、學校、社會乃至政府的干擾和管束，這就是美國開國元勛之一派屈克・亨利（Patrick Henry）於美國開國前所說的「不自由，毋寧死」（Give me liberty, or give me death！）但在社會中，每個人還是需要與他人互動，要學習成長，要防止他人對自己的侵害等等，所以民主的社會雖然強調保障個人的各種自由，也不得不設定若干規範，來預防他人的侵害，但這些規範的目的，仍是在保障個人的自由。

產生民主社會的第二個動力，是人民對威權政府甚至極權政府的恐懼。因為這樣的政府為了統治的需要，經常以約束、管制甚至恐嚇的手段來對付經常有意見的、不聽話的民眾。除非是為了因應戰爭或防疫等緊急需求，否則人民不會想要過那種動輒得咎甚至被監視、被恐嚇的生活。

產生民主社會的第三個動力，是來自社會的變遷。在傳統的勞農社會，人民的知識水準偏低，傳統的束縛規約又多，勞農大眾只能聽天由命。可是當現代化社會來臨後，社會流動多了，人民的知識見聞也廣了，人們也就會要求改變，想打破傳統的規範，建構民間社會，擴大公共參與，迎接民主社會的來臨。

除了以上的動力，民主社會的發展，也有其「條件」。在哪些條件下，才比較能夠產生民主的社會呢？依政治社會學的說法，首先是經濟的發展。就政治經濟學的觀點來說，經濟的發展並不必然會產生民主社會，例如若干中東阿拉伯國家。但一般來說，經濟的發展使得個人財富增加，人們更需擁有財產權的保障；經濟的發展可以產生某種型式的自由市場，產生相當多的中產階級，這對民主社會的出現的確會有明顯的影響，台灣、南韓都是明顯的例子。

其次，政治的安定，也是一項條件。在政治動盪不安的國家，政府可能忙於對外作戰，或對內鎮壓，人民則流離遷徙甚至飢寒交迫，在這種情況下，哪有可能出現民主社會？像緬甸、伊拉克、阿富汗、烏克蘭等，就是活生生的例子。

再者，教育的重視和普及，也是形成民主社會的條件，因為教育使人增加知識，增廣見聞，使人民比較能夠具有理性與思考能力，也比較懂得要參加公共事務，民主社會就需要有這種「公民」（citizen），例如北歐和美加諸國，就都擁有這項條件。

三、台灣民主社會的發展

　　西元1945年8月，第二次世界大戰結束後，10月台灣光復。1949年5月，台灣省政府基於當時台灣政治、社會的不安，宣布戒嚴，是年12月中華民國政府因國共內戰失利播遷來台。基於建設台灣和反攻復國的需要，政府展開了一連串的政策，帶動了台灣社會的發展。

（一）戒嚴時期的台灣社會（1949-1987）

　　在日本統治台灣的時期（1895-1945），雖然為了它南進東南亞的需要，而在台灣從事了公路、鐵路、電力、教育等各項建設，使得台灣開始了近現代化的社會變遷。但在基本上，當時的台灣，還只能算是一個農業社會。1949年底，國民政府遷台後，首先展開的，也是農業的發展工作，例如1949年的「三七五減租」，1951年的「公地放領」，以及1953年的「耕者有其田」政策。這相當程度地實現了孫中山民主主義的主張。

　　到了1960年代，農業發展有了相當的成績後，政府開始推動輕工業（勞力密集工業）的發展，例如1960年頒布「獎勵投資條例」，1966年成立第一個加工出口區「高雄楠梓加工區」，接著又在高雄前鎮、台中潭子增設加工出口區，使台灣經濟逐漸崛起，對外貿易也隨之興起。

　　1973年由政府提出的「十大建設」（包括興建高速公路、鐵路電氣化、桃園國際機場、中國鋼鐵公司、中國造船公司、台中港、蘇澳港等），更奠定了台灣工業社會的基礎，當時的台灣，被稱為「亞洲四小龍」（新加坡、香港、台灣和南韓）之一，這可以說是中華民國政府採用凱因斯理論（Keynesian Theory），由政府籌資

推動各項公共建設，創造就業機會與有效需求，而達成經濟發展的成功案例。依據行政院主計處的統計，當時台灣的經濟成長率相當高，例如1973年為11.9％、1976年為11.5％，1978年為12.8％，都是兩位數的成長。十大建設所直接帶來的就業機會，總計有146,079個。同時，經濟結構也開始轉變，例如1962年農產GDP的占比為25％，工業占比為28.2％，服務業為46.8％，到了1984年，則農產降為6.3％，工業為46.2％，服務業47.5％。

經濟的快速發展，不僅改變了經濟結構，而且在社會變遷方面，也可以看到當時的台灣已經開始由農業社會轉變為工業社會，甚至於稍後再轉變到服務業社會。而在這一由政府主導的經濟發展中，是允許中小企業發展的，於是也帶動民間企業的發展，以及各種民間社團的出現。這些都是民間活力的源泉，也是民主社會發展的條件。

至於政府1968年所推動的「九年國民教育」，則使所有國民都能享受為期九年（國民小學六年＋國民中學三年）的國民義務教育，這使「受過基礎教育」的國民大量增加。依教育部的統計，1966年升初中的學生人數為59.04％，到了1971年已增至80.85％，到2009年更高達99.73％。如果以1968年就讀國中一年級的學生而言，他們到1978年都已大學畢業了。所以對1970年代以後的學子而言，就更有能力參與公共事務，也更有創造民主社會的想望了。

因此，發生於1971年的「退出聯合國」事件，已然促發了當時台灣民眾的「亡國感」，更想以政治的民主化和獨立化，來重建台灣社會與政治。而1977年的「中壢事件」，是因民眾懷疑投票過程中有舞弊之嫌而引發的暴動。1979年的「美麗島事件」更是台灣第一次大規模的民眾示威遊行事件，但由於違反集會遊行法，而且有暴力行為，而遭警方逮捕起訴。當時主要的反對派人士如施明德、

林義雄、黃信介、陳菊、姚嘉文、張俊宏等八人被移送軍法審判，其他要角則送一般刑事審判。當時政府為表現出「依法治國」的態度，允許每位受審者得各聘兩位律師為他們辯護。其中施明德在庭上更表示，美麗島事件除了要伸張人民有辦雜誌（「美麗島」）的言論自由外，主要是要宣揚台獨思想，理由是「怕台灣被國民黨出賣了」。此後，所謂的「黨外人士」，一方面訴求要民主，一方面主張台灣要獨立。訴求民主，促進了台灣民主社會的出現，而主張台獨，則使台灣掉入社會分裂的泥淖中。

（二）解嚴後的社會發展（1987-2000）

從美麗島事件之後的十多年之間，台灣的社會是比較動盪的，黨外人士逐漸能獲取選民的支持，因此在地方選舉中，一方面宣揚他們的理念，另一方面也透過當選而進入議會，取得制衡執政的國民黨的權力。很快地，他們在中央的立法委員選舉中，也能獲得席位，於是進一步在1986年成立「民主進步黨」。而執政的國民黨則不斷地要應付社會上的弊案、災變，以及層出不窮的社會運動。當時主政的蔣經國總統有感於民心思變，而菲律賓馬可仕（Ferdinand Marcos）政權的垮台，也給了一種啓示，於是開始思考是否應解除《戒嚴令》，恢復民主體制的問題。反對派人士施明德說，蔣經國的民主化是被時勢所迫，但也有學者如泰勒（Jay Tayler）所言：「蔣經國和他的班底承諾要奉行真正的多元民主政治理念，他們的改革不是只求減緩壓力的策略。」終於，蔣經國總統藉著1986年10月美國「華盛頓郵報」（The Washington Post）發行人葛蘭姆女士（Mrs. Katherine Graham）來台訪問之際，告知台灣即將終止戒嚴，邁向民主社會。次年（1987）7月15日，正式宣告解除戒嚴，並開放黨禁報禁。

《戒嚴令》的解除，有什麼意義或效果呢？一是解除了政府對人民自由的限制，政府不得再任意對人民進行監聽、逮捕、拘禁；二是解除了政府對人民思想、言論等自由的限制，包括了對人民辦報、出版、電視等表意管道的任意禁止；三是解除了政府對集會、結社等自由的限制，包括大型戶外集會與遊行，組織各種民間社團，組織政黨等；四是一般人民不受軍法審判等等。換句話說，解除戒嚴就是宣告停止這些在戰爭時期特別管制人民各種自由權的法規，而回復到憲法所明定的人權自由。因此解除戒嚴，可以說是台灣民主社會的重大發展。

戒嚴的解除，在當時國民黨的解釋，是符合時代潮流、順應民意需求的良善改革，可是在反對派的心目中，戒嚴只不過是執政黨擋不住民意洪流的退讓。而且戒嚴後表示反對派進行反對政府的成本降低了，因此在解嚴前夕尤其是解嚴後，台灣的社會運動更加升溫，各種社會運動可謂此起彼落。例如婦女運動（1970年代）、消費者保護運動（1980）、原住民還我土地運動（1984-1996）、勞工運動（1980年代）、農民運動（1988-）、反核四運動（1988-）、校園民主運動（1990）等。其中影響台灣民主化最重要的是發生於1990年的野百合學生運動，它強調要修改憲法、廢除國民大會、國大代表和立法委員全面改選等。李登輝總統隨後接見了學生代表，並允諾了他們主要的訴求。

這些社會運動不全然是「反對」政府，也不一定是「反對派」，他們可能只是代表社會上的某些民眾，向政府要求關懷、公平和作為。不過，這些呼聲和主張往往很容易跟反對派合而為一。執政的國民黨為了順應民意、試圖鞏固自己的執政權，也相對應地提出許多「民主化」的改革，例如多次修改憲法，盡量符合民眾所提出的要求包括，國民大會全面改選（1991）、立法院立法委員全

面改選（1992）、保護勞工（1992-）、教育改革（1994-1998）、原住民族正名（1994）、及省長、直轄市長開始民選（1994-）、總統直選（2000-）、性別平等（2001-）等等。

這些改革除了在政治面的民主化以外，教育改革對台灣的民主社會也產生了很大的影響，例如在國高中的社會領域都相當強調人權與法治，在國中社會科之外，增設「認識台灣」一課，這將增強學生的本土意識，但也會進一步導致族國認同的分歧。

（三）政黨輪替後的民主社會（2000—迄今）

西元2000年，台灣舉行第一次的總統直選，由於國民黨多年來遭受一波又一波的社會運動抗議，以及李登輝總統（兼國民黨主席）提出兩岸關係是「特殊的國與國關係」（1999），引發黨內逐漸分裂，再加上在野民進黨的競爭，選舉結果由民進黨的陳水扁當選，這是在野黨第一次取得政權，也是台灣第一次出現「政黨輪替」。

由於陳水扁在第二任時涉嫌貪污，聲望大跌，在2006年引發反對者的紅衫軍運動，要求陳水扁下台。這是以國民黨為主的藍軍陣營所發動的第一次大規模群眾社會運動，要求綠軍的陳水扁總統下台，但陳水扁不為所動。群眾不耐，有人主張攻入總統府活捉陳水扁，但運動領導者施明德等認為這麼做將會因為違法而使這場運動失去正當性。這場運動號召力強，參與群眾有數十萬人，最後雖一時未能逼陳就範，但仍然保持風度遵守法律，贏得民心，而在陳卸任後也終於被法辦。這次的社運，可謂民主的典範。2008年的總統大選陳水扁這位選戰高手，終於改由形象佳的馬英九當選，形成第二次的政黨輪替。

在後來這段期間，台灣又在政治力量的主導下，進行了第二次的教育改革，除了在學習方面提倡「素養」教育（包括知識、能力和態度的學習），在教學方面提倡「問題中心教學」（Problem-based Learning, PBL）之外，特別進行「去中國化」。問題中心教學旨在去除傳統的知識灌輸，而以各種設計過的問題，來提高學生的學習興趣，從而培養出學生主動求知的習性。這固然立意甚佳，但學生如果沒有先備知識，恐怕也可能會造成瞎子摸象、思而不學的後果。至於去中國化的部分，則是在歷史科方面，把明朝中葉以前的中國史略去，改列為東亞史的一部分；在國文科方面，則減少文言文的分量，使學生逐漸不懂中華文化；在公民科方面，也拼命把有關二二八事件和戒嚴時期政府的威權做法一再抨擊，這已超過民主政治的轉型正義應有的做法，而淪入製造仇恨的地步了！

接下來，馬英九總統雖守法守紀，對在野黨也多所包容，卻因其用人不當，魄力不足，是以在2016年的選舉中，又由民進黨的蔡英文當選，造成第三次的政黨輪替。

知名政治學者杭廷頓（Samuel Huntington）認為一個民主政權如果能夠和平進行過兩次輪替，即達到「民主鞏固」（democracy consolidation）。若此為真，那麼台灣在此時已經達到所謂的「民主鞏固」的階段了。

再者，在每一次的政黨輪替中，敗選方的支持者都氣憤填膺或憂鬱不已，甚至形成台灣社會的嚴重撕裂。但經過這幾次勝敗磨練下來，台灣的政治菁英和選民也逐漸能接受（至少是默認）選舉的結果了，這也是民主社會的公民，應有的素養。因此，台灣的社會自1996年以後一直被美國自由之家（Freedom House）列為全球自由國家，甚至名列前茅（例如2022年獲得全球自由度的第十七名，亞洲第二名）。

四、台灣民主社會的發展出現了困境

台灣民主社會的發展一路走來雖然顛簸，但如與其他開發中國家相比，還是比較平緩的。不過，在這發展的過程中，還是出現了若干困境：

（一）自由的誤用？

「自由」（freedom）本來民主的內涵之一，甚至可以說是民主的目標。但人民一旦獲得了自由，也往往會濫用自由。在1990年，台灣曾有一則飲料廣告說：「只要我喜歡，有什麼不可以？」一時之間轟動全台，尤其是青少年更是朗朗上口，甚至恣意而行，形成對傳統價值的一大衝擊。

在政治上也是如此，甚至變成「我若不喜歡，你也不可以」的霸道作風。例如太陽花學運，它本來是主張「反對與大陸簽署海峽兩岸服務貿易協議」的，這個主張，當時的反對黨當然是歡迎的，但也有很多人的意見是相反的，所以是非對錯各有立場，雙方本該冷靜下來對談，找出雙方可以接受的主張，但卻演變成學生群眾攻占立法院，並大肆破壞議場設備的局面，甚至一度也想進占行政院，直到被鎮暴警察驅離、逮捕為止。其實，這樣的行為是違反「集會遊行法」的。集會遊行是人民的「自由」，但要行使這種自由必須依法先向警察局申請許可，並且不得在法律所禁止的區域內進行。太陽花學運違反了這些規定，理當被禁止。

英國古典自由主義大師彌勒（J.S.Mill）曾說：「一個人的自由，須以不得侵犯他人自由為界」，法國政治家羅蘭夫人（Madame Roland）也感歎說：「自由！自由！多少罪名假汝之名以行」（O Liberty！ Liberty！ How many crimes are committed in thy name！）。也因此之故，孫中山雖然主張民權主義，提倡民主自由，但他也提醒說衰弱的中國要先爭取國家自由，而後才能實現個人自由。又說有四種人不能有自由，那就是官吏、黨員、軍人和學生。他的意思倒不是說這些人不能有思想言論、居住遷徙、工作財產等自由，而是說這些人因為要服務人民、保衛國家、認真求學等，必須受到一些規範，犧牲一點自由，才能全力以赴，才能做好這些事！除此而外，只要他們不再當官吏、黨員、軍人和學生，他們也就立刻恢復充分的自由，跟一般人民都一樣了！

（二）政府要不要守法？

一個民主的社會，人民肯定是要守法的，但政府呢？例如政府以國家財政困難的理由，大砍軍公教警消的退休金，這就違反了當年政府對軍公教警消的法令及允諾（薪水很低，但保障退休金可以供退休生活），也違反了法律「不溯及既往」的原則。又如陳水扁總統曾允諾「寧可無政府，不可無媒體」（因為媒體是監督政府的「第四權」），但沒多久他就開始下令搜索某報社，自打嘴巴，令人扼腕！

再如，執政黨訂定「政黨及其附隨組織不當取得財產處理條例」，把國民黨的黨產一律定調為「不當取得」，加以沒收。其實，這本是動員戡亂時期黨國政治下的現象，黨產與國產有時候會有交互運用的情形，但到了馬英九總統時代（2008-2016）國民黨黨產中應屬於國有的部分已經一一歸還國庫了，剩下屬於該黨合法持有的部分，就應尊重其財產權，如有疑義之處，則應訴請司法機關以公正之立場來進行審判，而不是由一個行政機關來沒收。另外，政府又隨意將婦聯會、救國團定位為國民黨的「附隨組織」，而不顧及它過去為國家為社會所做的貢獻，就直接凍結甚至沒收其財產。尤其是農田水利會，本是台灣農民近百年來自動發起，自行捐款而成立的民間組

織，對台灣的農業發展貢獻極大，竟然也被解散並沒收財產，這就是恣意行政。如果水利會有挪用公款、賄賂官員等情事，應該是針對犯罪嫌疑人依法加以蒐證，如證據確鑿，則予以移送法辦，而不是由一個臨時成立的行政機關來沒收水利會的財產。

再者，由立法機關通過的「促進轉型正義條例」也是有違法之嫌。根據第二次世界大戰後德國的先例，所謂「轉型正義」，都是指政府對於曾經因內戰和意識形態而受到迫害的人，用司法審判的方式，斟酌當初加害人和受害人的個別處境，做出合情合理的判決，包括財產和名譽的恢復及賠償，同時追究加害人的責任，在正義已實現後，就應結束這種轉型任務，而不是一直保留著一個臨時性的行政機關，隨時扮演著「東廠」的角色。所以，轉型正義最重要的是以理性、客觀、合理、周全的心態，還原歷史真相，彌補傷痕，而不是懷恨在心，意在報復，也不要利用這些傷痕來作為選舉的催票機。只有這樣，才能建構一個和解、健康的民主社會。

對於這類問題，孫中山就曾經嚴厲地指責，民國成立後政府官員忘了他們是「人民的公僕」，忘了「人民才是主人翁」，他們只顧自己的權利，甚至利用手上的權力（power），恣意去威嚇百姓，控制立法，無惡不作，令他痛心到了極點！

（三）認同的衝突

在一般的民主社會中，最重要的認同有兩種，一種是族群認同，另一種是國家認同。族群認同的根據有血緣和文化等，但血緣認同的主觀性太強，而且具排他性，很容易讓不同的族群之間產生歧視，因此現代的社會大多不強調以此來分辨族群，而以文化來區分。文化包括一個族群的語言、風俗習慣、宗教信仰和歷史記憶的，以文化來區分族群，被認為是比較適合的根據。

至於國家認同，在過去民族主義盛行的時代（19世紀中葉到20世紀中葉），常以族群認同為依據，所以會有「猶太人的以色列」、「愛爾蘭人的北愛爾蘭」之類的呼聲，但當代政治學者則以制度認同為主要依據，也就是說人民可以依他對某種政治、社會、經濟制度的肯認，來作為他認同某個國家的主要依據。例如他是肯認政治民主、經濟自由的國家？或是肯認政府廉能有效率，資源分配公平的國家？

台灣的社會，在解嚴以後已經民主化了，可是仍有族群認同和國家認同的困擾。在族群認同方面，有一部分人強調本省人和外省人的衝突，認為外省人是「外來者」，卻成為台灣的統治者；而本省的閩南人、客家人和原住民族，反而成為被統治者；本省人被迫學「國語」（普通話）等等。因此他們曾經要求「台灣應由台灣人統治」，以及「要學習母語」等。坦白說，這種現象過去是曾經存在的，但那是由於戰亂所形成的，而且這種現象也隨著台灣的民主化、本土化而消失了。更何況，任何一個國家的「族國建設」（Nation-State Building）都需要有一種語言來作為「國語」，才能讓全國人民得以相互溝通，至於其他的語言，則可以考慮再另選一、兩種做為「官方語言」，或對這些語言加以尊重就可以了。何況閩南人、客家人都從中國大陸的福建、廣東等地先後遷徙來台的，而後到的外省人，也是從大陸各省遷徙而來的，甚至同出一源，何苦「相煎太急」呢？

至於國家認同方面，目前存在於台灣的「國家」只有一個，那就是中華民國。從「制度認同」的角度來看，如果它在過去威權時代的所做所為，人民不能或不願體諒它是處在「可能會被共軍解放」這個危急情況下的「不得已」（例如宣布戒嚴），那可以反對它，或要求它儘早解除戒嚴，並改行民主政治。如今它已是一個民

主國家了，甚至當年的反對黨，如今已兩度成為執政黨了，那我們是否一起認同「這個國家」就好了，還有必要再建一個「台灣民主國」嗎？更何況，海峽對岸的中華人民共和國已經說得很清楚，它絕對不可能同意台灣獨立、破壞統一，而台灣的「好朋友」（說不上是盟國）美國，也說得很清楚，如果台海兩岸發生戰爭，它「一定會協助台灣，但不會出兵共同作戰」，這從它在阿富汗戰爭及最近的烏俄戰爭的表現，也可以證明它這種一貫的態度與作風，那我們能不謹慎嗎？

五、結語：台灣民主社會的展望

儘管台灣社會在民主發展的過程中，產生了不少困境，但這也是很多開發中國家經常出現的共同問題。展望未來，台灣民主社會至少有下列幾個方面還應該繼續努力：

首先，既然台灣的社會，已經是「民主」社會，那麼這裡的人民就是「主人」了，但作為一個主人，除了應該擁有充分的自由和尊嚴之外，他還應該具備有理性思考、主動參與公共事務、願意與人溝通、懂得包容與妥協，這才是真正的「主人」，才是現代的「公民」。但是這些「公民素養」（citizenship）要如何培育？學校當然是很重要的場所，它可以教導學生尊重校規、理性思考、公平競爭、尊重他人等等公民素養；此外，家庭可以培養子女優雅氣質、家務分工、照顧家人等；教會可以教導信徒遵守教義、自我內省、服務他人、奉獻社會等等；民間社團可以養成社員團隊合作、依會議程序開會、學習選舉社長、服從多數、尊重少數，以及參與社會服務等等，至於公私企業，更可以鍛鍊個人負責任、講效率、論功績、關懷弱勢等等，所以也都是培育公民素養的適當場所。

　　其次，一個民主的社會，當然要有選舉，但選舉必須做到公平、公正、公開，才有意義，如果選舉只是為了奪得政治權力，只是為黨派爭取私利，選舉過程充滿謾罵、抹黑、造謠、攻訐，就不可能選出賢能之士來幫公眾服務。而一個由選民所選出的執政黨，如果將政黨利益置於全民利益之上，那他的執政，真是一場災難。再者，一個民選的執政黨，如果不知守法，甚至利用法律來恐嚇它的反對者，利用利益來綁架它的支持者，則它不僅將腐蝕政治清廉與民主法治，甚至將造成整個社會的仇恨與對立，作為一個有理想的政黨，能不慎乎？

　　其三，族國認同與兩岸關係可說是台灣社會所面臨的問題的重中之重。關於族國認同，其實不管閩南人、客家人、外省人，大家的祖先們都來自中國大陸，絕大多數都是漢人，都講漢語，寫的是漢字，所信仰的宗教也大多來自中國大陸，如佛教、道教、一貫道或民間信仰等，大家所參拜的觀世音菩薩、關聖帝君、王母娘娘、媽祖，哪一尊不是來自中國大陸？即便布袋戲、歌仔戲，不是源自中國大陸，便是演的內容大多是中國大陸的傳說故事。至於民俗節慶，例如寒食節吃潤餅是紀念春秋戰國時代晉國的忠臣介之推，端午節是紀念楚國的愛國詩人屈原投汨羅江，中秋節是紀念夏朝后羿的夫人嫦娥奔月，也莫不源自中國大陸的典故。所以，如用文化來做為族群認同的指標，即無疑「台灣人也是中國人」了。至於台灣的原住民族，本屬南島語系，不是漢族，但馬祖「亮島二號」人骨化石的發現，也出現了「台灣原住民族有可能來自中國大陸東南沿海」之說。所以，我們不應該為了「建構」一個所謂的「台灣民族」，來滿足主張「台灣獨立建國」者的夢想，而造成了台灣社會的嚴重撕裂，甚至引發台海戰爭。何況，「一個民族建立一個國家」（one nation, one state）這種概念，也老早已經落伍了。

至於台灣的國家認同方面，基本的指標是制度認同，只要中華民國的民主制度逐漸健全了，那還要去建構另一個「新國家」嗎？這個「新國家」目前是不存在的，一個不存在的國家，哪來的新制度？哪來的制度認同？根據國立政治大學選舉研究中心2022年的統計，我們台灣內部目前只有31.7%的人認同「台灣獨立」，換句話說，只有三分之一不到的人贊成；另有55.7%的人則認同「維持現狀或以後再決定」，而美國也明白表示不支持台灣獨立，只是同意台灣在受到入侵時，才提供一些軍備協助我們。至於中國大陸則更是堅決反對到底，那也就是說台灣獨立根本就是不可能的，我們國人為什麼要為這個虛無飄渺的念頭，來互相仇恨，互相撕裂呢？

　　最後，台灣的民主社會要走向何方？過去幾十年，我們一直很推崇美國的自由主義式民主或資本主義式民主，因為這種民主強調自由人權的保障，強調定期、公平的選舉。可是近年來卻發現，這種民主會導致選舉與金錢政治的掛勾，候選人募集競爭經費，造成政商勾結，甚至發現執政者利用強大的軍工集團和富商巨賈，對內操作市場經濟，對外操作軍購、匯兌及貿易，甚至因而引發戰爭，使得許多有識之士，對這種美式民主感到心寒。另一方面，我們也發現北歐的社會主義式民主，他們也強調民主，但除了對自由人權的保障以外，他們更強調社會的公正、資源分配的公平，對於少數族群或底層弱勢階層，更加關懷。對於公共政策的決定，則除了多數決以外，也常用「共識民主」（一稱協商式民主，consociated democracy）來處理，也就是透過雙方不斷的溝通協商，最後得出一個妥協方案，這個方案，也許雙方都不太滿意，卻也是雙方都能接受的。這種制度，比較不會造成「我多你一票就壓死你」的「多數暴力」現象，這樣的民主社會，應該更值得我們去學習。

台灣的抉擇❸——人民有權？政府有能？

台灣的自由民主
——不是只有選票而已

潘兆民

大道之行也，天下為公，選賢與能，講信修睦。
——孔子〈禮運大同篇〉

　　毫無疑問，沒有選舉制度當然不能稱為民主政治的社會，但有了投票選舉制度，就代表民主政治成熟了嗎？所謂自由民主（Liberal democracy）的選舉，「自由」是指個人的自由意志，「民主」代表公正的選舉，亦即是，為了讓生活在自由民主制度下的人民，皆能依個人自由意志，以決定國家政府的執政組合及政策走向。也正因為有自由公正的選舉，方能有政權的和平轉移而能免除因奪權導致內戰，生靈塗炭。之所以在民主選舉之前加上「自由」，正是為防止民主暴力，以多數霸凌少數，所以要創造一個自由多元與寬容的道德社會。

　　「大道之行也，天下為公，選賢與能，講信修睦」，是孔子在〈禮運大同篇〉中，開宗明義地描述大同世界的理想社會。人人選賢與能，因而和睦相處，豐衣足食，安居樂業。然而，現今台灣的政黨競合中，常聽到「只有藍綠，沒有是非」、「隨便找個西瓜也可以當選」、「政客心中只有選票，沒有人民」。更常看盡某些政黨為求勝選不擇手段，製造假新聞、黑材料，亂扣冒子，抹黑、抹黃、抹紅的政治算計。如在網絡上散播假新聞，煽動選民對特定候

選人的反感與敵意，培養網軍，利用「移花接木」、「無中生有」等手法，散播不利於反對陣營候選人的黑材料。謠言惑眾，早已成為當下的競選模式，愈誇張，愈受歡迎，即使事後真消息出現，卻少有人關注，結果是謠言滿天飛。台灣的政黨競爭中，民主國家所應具備「選賢與能，講信修睦」等尊重個人自由選擇的道德共識，早已不復存在。政黨為了政治利益、為了勝選，種種失德、霸凌又惡劣的言行，皆可以被包裝成高尚的目的。

一、台灣民主：只有選票極大化

在一切為選票的訴求下，被操弄的台灣民主，讓執政者經常假借打擊不實訊息，實則真消滅政敵。總是看盡政黨為了勝選造勢，可以利用媒體造假宣傳，加油添醋，誤導認知，甚至刻意製造非我族類的仇恨心，如此惡質行為，自不能促進自由民主社會的正向發展，只會不斷割裂社會，造成民主的崩壞。

（一）只有選票的民主倒退

1989年，國際著名學者法蘭西斯福山（Francis Fukuyama）發表《歷史的終結》（The End of History），以黑格爾歷史決定論預言，意識形態的鬥爭正走向終結，自由民主制度在全球範圍內的廣泛傳播。原本標誌著人類社會文化演進的終結，終將成為人類政府的終極形式。問題是，上述民主崩解的危機，以及來自2008年後，美國次貸及歐美金融危機，政治運作僵局，正一再地侵蝕人類文明的「歷史的終點」的，是西方自由民主與市場經濟。

中央研究院院士朱雲漢教授於《天下雜誌》（679期）刊文，剴切指出：最常見的過程是執政者先侵蝕獨立機關，變成鞏固黨派

權力的工具。先從司法機關與選務機關開始、然後稅務部門、檢察、警察與情治系統等都淪為黨派鬥爭的場域。執政者也必然透過赤裸裸的多數暴力，壓制國會反對黨，限制反對勢力的合法制衡與監督權力。最後，政治黑手就會伸向新聞媒體、學術界以及其他本應較為獨立自主的公民社會中的各種群體。以國家安全為名，行侵害民主之實。

通常這些蠶食民主根基的動作，形式上都是合法的，因為可以藉由國會中的多數，強行通過這些實質上違反民主法治原則的法律。更荒謬的是，威權傾向的政客在淘空民主根基時，往往是打着冠冕堂皇的旗號，例如維護國家安全，或甚至以深化民主改革為藉口。如近期立法院通過的「國安五法」修正案與剛通過的「反滲透法」，是否已讓台灣民主逼近崩壞邊緣？是否一夕回到動員戡亂的戒嚴時期？

（二）不斷出現民主崩盤的情勢

尤其是，特殊利益集團、堅持偏執意識型態的團體，總可以在決策過程中的某些環節找到切入點，或者讓自己的特殊要求夾帶成功，或是讓自己堅決反對的政策胎死腹中。

1.陷入「否決體制」（Vetocracy）的民主亂象

如近年台灣歷經政黨對峙、政府空轉、貪腐等社會亂象，再再顯示，陷入「否決體制」的民主亂象，正如學者福山在看盡民主政治逼近崩壞的情境後，也不得不修正自由民主是人類終極政府體制的看法，並採用「否決體制」直指民主體制如何陷入完全沒有決策中心、眾多特殊利益集團堅持已見、拒絕妥協、相互掣肘，最後導致政策飄忽不定、支離破碎，政府運作瀕臨癱瘓的狀況。

以立法院近期三讀通過，攸關國務機要費除罪化的《會計法修正草案》為例，執政黨不顧疫情炎燒，反而趁勢利用國會多數優勢，干預台灣司法，為了選舉將至，強推「國務機要費」除罪化，破壞法治精神的惡劣行徑，更顯示台灣民主政治缺乏德性，為了勝選，管你是非公義、司法威信，法律早已被黨派玩弄於股掌。更甚者，完全掌控政治資源的政黨，更以全面掌控政經媒體網絡的強大資源，制定限制性媒體法，以便強制關閉關鍵媒體，再利用社群媒體加劇社會兩極分化，致使台灣的自由民主發展，步步走向今日民主壟斷的態勢。

誠如前述學者福山於2014年出版《政治的秩序和政治的衰落》（Political Order and Political Decay）一書，開始修正「民主是終點」的觀點，因為看到美國政治被不同的利益團體把持，立場兩極化傾向。在制衡體制下產生的否決體制，使得政治僵局反復出現，政府難以運作，更難以引導社會在重大問題上，盡速得到明確的解決方案。

2021年12月9日，美國總統拜登（Joe Biden）與國務卿布林肯（Antony Blinken）在白宮透過視訊開幕致詞亦承認，民主與普世價值面臨極大挑戰，要革新民主與強化民主機構需要持續不懈的努力。民主不是偶然發生，每一代人都必須革新，這是緊迫的議題。並引述自由之家（Freedom House）2020年報告，指出全球自由化已經連續15年出現倒退現象，「國際民主及選舉協助研究所」（International Institute for Democracy and Electoral Assistance）報告也指出，過去十年，包括美國在內的所有民主國家，至少有一個面向的民主發展出現衰退，「這些趨勢正比過往任何時候都因為更加複雜的全球挑戰而加劇」。他坦言，民主並不完美，但呼籲民主國家採取具體承諾，為強化民主並抵抗威權、打擊貪腐、促進和確保人權採取行動。

2.「選舉威權」：權力傾斜

台灣民主政治為利益型政黨所壟斷，政策不透明，其他政黨難以監督，更糟糕者，自利的政黨控制行政、立法、司法，遑論在野黨難有再執政的機會，其他小黨更難制衡。政治制度理當為公共利益服務，所有民眾都應該是它的客戶。但事實上，台灣政治制度的產業化，在政治系統中，從政策問題的界定到政策研擬與執行已然被掌權者壟斷，為了選票極大化，早已不能公平對待它所有的客戶。並藉由權力壟斷的交易，逐步形構權錢互享的侍從關係（Patron-Client Relations）。

正如利益極大化的企業勢必將最有利可圖的客戶，列為特殊服務對象，將最能有效推動它本身利益的客戶，亦納入優先服務對象。在政治產業中，最重要、有利可圖的客戶是黨內初選投票人、特殊利益團體與獻金捐款人，因為他們能夠提供可靠的選票與金錢等兩種政治貨幣。

依據瑞典國際民主及選舉協助研究所（IDEA）2021年11月公布的報告，全球民主狀況正在倒退，有更多國家走向專制，五年間民主國家數量從一百零四個減少到九十八個，美國更首度位列陷入倒退的民主國家名單。倒退民主國家已包括印度、巴西、菲律賓以及三個歐盟國家——波蘭、匈牙利和斯洛文尼亞。此外，緬甸從民主國家降級為專制政權。阿富汗和馬里從混合政權轉向專制政權。2021年被歸類為民主國家的贊比亞是唯一提升的國家。

IDEA秘書長薩莫拉亦指出，美國民主明顯惡化，是最令人擔憂的事態發展之一，美國是老牌民主國家，排名的倒退當然具有象徵意義，然而，更值得關注的是，近年來新興民主國家的民主倒退，特別是出現「選舉威權」或「威權民主」的現象。台灣是

否也因權力傾斜而產生「選舉威權」（electoral authoritarian regime）？

依據學者李冠和在《政治科學論叢》（57期）刊文〈選舉式威權政體：選舉競爭度、穩定性與民主化〉中，指出選舉威權體制的特點：

(1) 有較開放的公民權，但對弱勢或政敵則利用法規或行政裁量予以排擠；有開放的民間社會，但利用行政資源予以收編；選舉透明度與公正性增加，但是媒體操弄、行政中立與選舉規則仍受詬病。

(2) 在經濟上接受新自由主義，但一些新興民主國家轉型過程出現國有資產私相授受的行為，以自由化之名建立新的恩庇關係。

(3) 在意識型態上，發展仍是硬道理，但減少暴力色彩，引入更多的宗教、民族主義、消費主義等軟性元素包裝國家機器的目的。許多弱勢者的處境或社會議題並未因為民主化得到改善。

(4) 權力結構仍不脫菁英統治色彩，官僚地位降低，政黨菁英與侍從集團瓜分社會資源。

眾所周知，民主是一套政治博弈規則，開放、透明、公平、公正、和平，亦是一套文明社會的表現。但是，近期「選舉威權體制」借用執政優勢對媒體控制、意識形態與國家機器操控，以民主程序改變遊戲規則，建立有利於己的不公平環境或規定，破壞憲政精神、權力分立，鞏固執政優勢，達到長期執政的目標。民眾往往不容易察覺遊戲規則已悄然改變，這正是台灣民主倒退的重大情勢。

（三）台灣民主的雙頭壟斷控制

　　產生不能平等對待所有客戶的現象，不僅發生在人民需求的輸入面（Input），同時在滿足需求的輸出面（Output）上，皆缺乏平等對待等雙頭壟斷控制的情勢。自由民主制度理當為公共利益服務而設計，全體民眾率皆為服務的對象。然而，實際運作這套民主政治體系時，卻處處呈現只為圖利一黨之私，並非公平對待所有客戶。

　　正如一種產業一樣，有特定的供貨者、上下游廠商、不准創新者加入，圈內人設立高度進入障礙，因此政治日形墮落、公共政策落後、貧富懸殊，人民備嘗苦果。誠如《當政治成為一種產業》（The Politics Industry），由企業家凱瑟琳・蓋爾（Katherine M.Gehl）與商業策略家麥可・波特（Michael E. Porter）合著，點出自美國建國兩百多年來所奉行的民主「政治」，至今已出現諸多弊端。用「五力競爭」理論詳述當前政治問題，「五力」為現有競爭者的競爭能力、潛在競爭者進入的能力、替代品的替代能力、供應商的討價還價能力與購買者的議價能力。現行美國民主運作的大問題正是雙頭壟斷控制，使得五種力量都無新的競爭者加入。

　　善於政治算計的利益型政黨，總想為圖利政黨並列為優先服務對象，為能最有效推動本身利益，在全無公民參與、專家論證的情勢下，強推法案，更以掌控話術，強壓不同聲音。全然體現，堅持偏執意識型態又自利的政黨，總可藉由政治算計，在決策過程中的某些環節找到切入點，或讓執政者的特殊利益夾帶成功，或讓堅決反對的政策胎死腹中。只在乎權力的掌控，更不在乎資源與價值的平均分配，種種得意忘形之行為，甚囂塵上，罄竹難書。

可悲的是，在台灣民主政治的自利競爭中，選舉與立法正沉溺在不健康的自利與輸贏競爭中，正如前述書中所指，總是出現兩個關鍵現象，即爭取勝選與通過（或阻撓）法案的抗爭。立法機關被壟斷，政策不透明，顏色控制下的政策議題，根本無法做理性的論辯。政黨的政治壟斷，正是一黨專權、專政的體現，更代表全民大眾輸。只為選舉考量，全然不顧資源福祉的平等分享。如近期公投結果顯示，原本單純的食安與環保問題公投，被刻意轉成一場「藍綠對決」，搞成「大選前哨站」。

二、台灣政黨政治的亂象：民粹主義（populism）當道

為何出現民主衰退、民粹主義興起的浪潮？難道自由民主制度仍然不是人類追求的最佳文明制度？

（一）民主壟斷，民粹主義崛起

美國《時代》（Time）雜誌專欄作家芙哈爾（Rana Foroohar）在2016年5月刊出〈美國資本主義的大危機〉（American Capitalism's Great Crisis）的文章，檢視美國據以立國的資本主義，在各年齡層中，均不受信賴，尤以十八至二十九歲為甚。

長期以來，過於強調自由市場而忽略公平分配，是問題主因，而經濟體系中金融角色的過度膨脹，更是眾矢之的（Oversized role of finance and Wall Street）。的確，在過去5年間，各國財經媒體，普遍出現對社會現象的描述是：貧富不均、高失業、低薪資、低成長，似已成為各國須共同面對的問題。尤其分配失衡、貧富差距，其實適時說明了民粹思維興起的背景。

學者威爾納‧穆勒（Jan-Werner Müller）在《解讀民粹主義》（What is Populism?）一書中指出，民粹主義者除反對精英主義外，也反對多元主義，總聲稱只有他們代表人民，其他的政治競爭者基本上是不合法的，不支持他們的人，就不是人民適當的一分子。問題是，何種情境的發生，助長了民粹主義的動盪社會？

前述美國學者福山於2018年9月，在《認同：尊嚴的要求和憎恨政治》（Identity: The Demand for Dignity and the Politics of Resentment）書中，指出導致民粹主義忽然崛起主因：人類隨著歷史逐漸變化對於尋求尊嚴的天性。之所以要國家追求自由民主，是因為仍相信這個制度是能提供每個人尊嚴的，也才能滿足當代社會作為人的基本需求。

福山同時認為，是歐美國內與國際情勢，使得一些人們的尊嚴不再被滿足了，再加上代表性的危機（crisis of representation），普通公民感到民主成為一個幌子，政府被各路精英們暗中操縱，不再真實地反映大眾的利益訴求。

誠如朱雲漢院士所言：台灣政治正因為貧富差距，政治震盪，民粹型政治素人竄出。事實證明，不平等的經濟發展，確實導致風險提高與分配不均嚴重問題，我們完全不能負擔且必需承受社會反撲。弱勢群體、邊緣化群體選出的民粹型政治素人，也將帶來前所未有的政治震盪，推行新自由主義革命愈徹底的歐美先進民主國家，中產階級與勞工面臨薪資停滯或跌落貧困的問題就愈嚴重。

尤其是在2012年後特別明顯，逆全球化政治風暴席捲而來，排外主義、種族主義、保護主義與反全球化民粹高漲，充滿政治激情與煽動口號的民粹時代降臨，但我們真的了解民粹主義嗎？為何它是如此迷人又危險的存在？

1.高舉「轉型正義」的民粹大旗，實則撕裂台灣社會

福山也認為，在亞洲，民粹主義多為政黨工具。因此民粹到底是民主最正統的聲音？還是民主最大的危機？「私刑正義」，社會如何和解？

全面控制下的執政黨，把許多獨立機關一把抓，中選會、通傳會、促轉會、黨產會等，無不政治掛帥，早已失去獨立機關該有的公正無私精神。甚至在一黨獨大之下，因為沒有健全法制，沒有穩妥計畫，淪為僅僅為特定人士、對象服務，只呈現執政黨信仰價值，政府高舉「轉型正義」大旗，實則又淪為政治追殺的東廠，不僅無法帶領社會對話，只有加劇社會衝突，想要真正達到促進社會和解及追求真相的目標，更是遙遙無期。

2.「後真相」（Post-truth）時代：媒體操弄民粹的亂象

以今日數位時代資訊傳播的速度與規模，「後真相」就會埋沒真相。由於社群媒體的導入，消息產生、傳播的速度與規模，倍於往日。為激起仇恨，創造選票，網軍經常利用假訊息攻擊對手，而假新聞的攻擊途徑，即是網軍先散播謠言，媒體又引用，然後繼續渲染。這正是「後真相」時代的特性：寧信成見，不信真相。

而群組間，又存有一定的信賴關係，錯誤或虛假訊息乃經由此一途徑滋生、散播，形成所謂的「後真相」時代。例如，近期四項公投時期，網路即瘋傳一張「張忠謀董事長，看不下去，呼籲國民黨不要再鬧了，要搞垮台灣嗎？公投四個不同意，台灣更有力？」的圖卡，雖事後經台灣事實查核中心的驗證是「錯誤」訊息，但已傳遍各大社群媒體網站。所以，媒體自我的專業和自律要求極為重要，否則極易成為政客、網軍散播假訊息的最佳媒介。

誠如前述《解讀民粹主義》一書的論點，啟發認識民粹對民主制度的威脅為何，並促使大眾反思，該如何修正失能的民主代議制度。自由民主人士究竟該如何應對民粹主義者，特別是在當他們宣稱專為「沉默的多數」或「真正的人民」而發聲的時候。民粹主義不只是反自由，它也反民主，它也是代議政治永恆的陰影。

（二）欠缺德性的台灣民主

民主少了正義規範，任由政客算計，網軍操弄，讓缺德的自由民主亂象，不斷呈現人體嚴重缺氧的狀態，導致欠缺德性的政治壟斷，持續阻塞民主，無法呼吸自由的空氣。誠如前述，失德的執政手段，不斷侵蝕獨立機關的「公共性」，以多數暴力，控制國會，限制反對勢力的合法制衡與監督權力。無良的政治黑手介入媒體、學術界，導致公民社會「公共性」不斷喪失。

依過去經驗所認知，民主常亡於軍人政變後戒嚴獨裁，但筆者發現，民主卻經常亡於民選領袖上台後，因欠缺德性，悄悄擴權變獨裁，總是藉合法程序侵蝕民主，假反恐，真監控異議人士，假打貪，真消滅政敵。表面上有選舉、有反對黨民代、有獨立媒體，乍看民主很安全，公民無感。民主崩壞，很少是鯨吞，大多都是蠶食。全球都出現強人崛起、民主崩解的危機，用表面合法的手段、甚至打着國家安全的旗號，一點一滴侵蝕民主的根基。

當執政黨不以道德來要求自己的從政黨員，只想用法治來約束從政黨員，只會讓這個執政黨變成只會玩法弄法、遊走法律漏洞的幫派。甚而做為執政黨的領導人，亦不以道德自我期許做為施政的基本理念時，往往就會形成只要「不違法」，就什麼事都可以做的貪念。這樣的「法治」觀念，讓執政者為所欲為，尤其是，讓懂法者，更知道如何去玩法、弄法。結果是欠缺道德的台

灣選舉只有選票，只講輸贏，早已喪失「選賢與能、講信修睦」等自由民主的初心。

2013年9月17日，麻省理工學院經濟系教授戴倫‧艾塞默魯（Daron Acemoglu）與哈佛大學政治系教授詹姆斯‧羅賓森（James A. Robinson），兩位重量級學者同著《國家為什麼會失敗：權力、富裕與貧困的根源》（Why Nations Fail: The Origins of Power, Prosperity, and Poverty）書中指出，榨取（extractive）制度與包容（inclusive）型制度的區別，國家之所以會淪為失敗貧困的主因，是因為其經濟、政治社會的制度是採取榨取制，就是殖民經濟，國家政經發展是屬於零和型，則會陷入貧困、戰爭、疾病的惡性循環。而那些富國之所以富裕，正是因為採取包容型制度，包容型制度政府，由於政府對公民和廣大人民負責並作出反應，定期且有效的政權更替、自由經濟與相對公平的社會分配，因此刺激的經濟成功得以持續。

可悲的是，當欠缺德性的政府走向榨取制度時，因為絕對的權力造成絕對的腐敗，採取政治壓迫使得國家政府走向失敗。作者以1930-1945年的德國和1920-1980年的蘇聯為例，由於沒有完全納入民主、自由、公平與多元等廣泛性政經社會制度，所以再怎麼強盛的成長都會後繼無力，不是走向軍國主義自取滅亡，不然就是分崩離析，富強不再。

據此，國家之所以富強，正因為包容型制度，以民主道德終止腐化，讓自由民主的多元寬容理想得以實踐，國家經濟與政治社會方得以永續成功發展。據此，成就一位政治人物，政治道德仍是最重要的前提。如果只想以非道德、不道德的手段贏取政治權力，只會製造更多的對立、仇恨、貪污與腐敗，更深陷民主崩壞的陷阱。

三、公民素養：擺脫民粹干擾的思辨課題

事實證明，民主社會中，壟斷即意味著排外。當壟斷的政治系統只服務於自身，而沒有服務於一般大眾時，出於自身利益推動權力擴張，並用金錢與艱澀的話術壟斷了民主參與，欠缺道德的民主壟斷於焉產生。正如2008年金融危機後的美國經濟刺激方案，反而讓那些持有80%以上股票的10%富人，更加富有，而維持2%增長的經濟依然黯淡。促使美國公眾意識到，當下的制度與政策是與大多數人利益相悖的，自利型的政治壟斷與經濟路線必須被拋棄。

因而提出：「要消除少數人主導的思維方式，抑制金權至上文化，勢必發起更大範圍的討論，以往民主與金融只存在於部分人的話語體系當中，包括政策制定者與金融專家，要找到解決方式並不容易。」所以，發出警示，失德的壟斷式民主主義制度已積重難返，如果對現狀放任不顧，很多人的福利將岌岌可危。僅僅是系統調整並不能解決問題，目前需要的是「根本性」的再造。

（一）重塑自由民主的道德真諦：寬容與多元的道德社會

多元、寬容與尊重保障台灣自由人權與民主體制，不僅是最具德性的軟實力，更是傲人的核心價值，使專制政體喪失正當性，相形見絀。然而，欠缺德性的民主，民粹當道，卻成為民主社會的破口，為防止民主缺德，使政客得以透過網路，收買媒體，滲透分化社會，干擾選舉，以遂行其政治目的，著實必要深入認知自由民主的道德真諦。

當代政治哲學家亞伯萊斯特（Anthony Arblaster）認為，因為自由主義並不是由一組不變的道德和政治價值所組合而成，要為自由主義下定義實有困難，自由主義始於文藝復興和宗教改革，是

一個觀念上的特殊歷史運動，發展過程中，歷經許多轉變，所以自由主義不只是一套價值，而是一種對人性、社會和世界的觀點，是透過這個整體的觀念，將人類價值，如自由、平等，作特殊的組合的學說。因此，如果只認為自由主義重視個人自由，則對自由主義的瞭解不足，因為有些和自由主義傳統不相關的學說也強調自由。

事實上，自由民主社會的政治設計，是為了解決差異（diversity）和統合（unity）的問題，即在一個充滿不同想法、價值觀歧異的社會，如何成為一個充滿德性的和諧社會：

1. 首要了解價值多元的道德意旨，所謂「多元」是指自由社會中的每個人在處理不同想法時的態度。

2. 勢必在價值多元的社會中，創設自由體制，並允許每一個人在此體制的保護下，皆享有基本自由，同時在不侵犯他人相同權利的條件下，任何人都可以選擇自己認為最適合的生活方式。

具體而言，自由主義的政治理論，是企圖設計一個公領域的存在，具備普遍接受之原則，以保證社會和諧和穩定，以及一個包容和保障個人自由地追求自己生活方式的私領域，私領域的確立可以確保宗教、道德和價值觀的多元發展。

職是之故，政府的角色必須受到中立原則的限制和規範，在自由主義的政治體系中，公共政策和規範的制訂必須對所有爭議性的價值觀保持中立。正如約翰·斯圖爾特·彌爾（John Stuart Mill）的主張，自由主義建構的理想社會是由個人出發，重視每個人的尊嚴，個人存在的選擇權，因此必然造成一個多元社會。但如何使多元價值能共同生活在一個社會中？則需要一套自由主義的制度。

自由主義的制度，主張在政治中立、不預設立場，去建構一套公共規範，方能實踐每個人的個人價值。彌爾並以歐洲之所以能持續發展為例，主張並不是因為歐洲人種較為優越，而是因為歐洲擁有相當明顯的性格和文化的多樣性，所以彌爾認為價值多元就是歐洲進步的主因。因此，自由社會方有多元和創造力，而多元則可提供每一個人擁有多樣的選擇，使個人可以在各種可能性中，選擇最適合自己個性的生活方式。

（二）自由民主的實踐：「人民有權，政府有能」

「人民有權，政府有能」是民權主義最重要的思想前提，亦即是人民要有權利去限制政府濫權，讓政府有能。誠如當代自由主義經濟學大師弗里德曼（Milton Friedman）所言，政府的權力必須分散，其原因有二：一是「保存自由」，而「保護性原因」，則是另一個原因，亦即是「建設性的原因」，因為歷史上工農業、文明的巨大進展從沒有來自集權的政府。主要論點，正是競爭是一個經濟自由的制度，並且是政治自由的一個必要條件；次要論點，則主張，政府在致力於維護自由，及主要依賴市場組織經濟活動的社會中，所應發揮的有限度作用。

2011年夏，前述學者福山在訪台的演講中，以東亞民主發展為主題，指出東亞民主發展的弱點在於「社會欠缺制衡力，不具有問責政治的傳統」；歐美則是制衡太多，甚至過度制衡，從而影響政府的決策。並指出民主政體，在與法治出現衝突時，法治有部分目的是要限制權力，讓行政權不能隨所欲為。但現在各地民粹主義的政治人物，卻開始使用民主的合法性，去攻擊法治，去破壞影響新聞自由與央行獨立性。美國的問題，可能比土耳其、匈牙利還更嚴峻。

針對自由民主的未來，福山提出現代自由民主國家必須包含三個基本要素：國家能力、法治原則與問責制度。國家通過行使權力來維護穩定和秩序，通過法治原則和問責制確保權力用於公共利益。一個自由民主國家必須找到三者之間的微妙平衡，方能「長治久安」。

福山所言，正如「人民有權，政府有能」的核心，是承認生命的意義和理想生活方式的多樣性和差異，是一個永遠無法消除的事實，因此理想的政治設計，不是為了實現某一個特殊的價值觀，而是要包容不同生命理想和差異的價值觀，例如，自由民主的價值如果沒有平等的價值，則自由是空的，沒有自由的民主則陷入多數暴力少數的陷阱。

民權主義與自由主義皆一致認為，是在保障多元、承認差異的前提下，從事其政治理論的建構。民權主義希望能在包容最大差異價值觀的前提下，僅使這些差異價值觀的主張者，盡能在相同的公共規範下和平相處，使一個充滿多元差異的社會，能透過最起碼的公共規範，而井然有序。職是之故，自由民主道德的實現，應具備一些共同的準則：

1. 負責：作為公僕的治者，應勇於承擔政治與法律責任，不僅是基於法律的規定，尤其是基於個人的道德心與責任感。

2. 寬容：寬忍（tolerance）的消極意義正是推己及人的忠恕之道，積極意義在於賦與不同政見者或團體，皆能有存在、發展和人民判斷選擇的機會。寬容包括對異見的包容、對少數的尊重。

3. 妥協：在多元的民主政治中，必然充斥不同意見與主張，並非彼此不相容。若任由對立持續增溫，實有礙問題的解決與民主政治的遂行，是以，勢必以協商謀求折衷、妥協（compromise）。據此，妥協是一種可行的協調，雖不能盡使各方滿意，但至少可獲致某種程度的滿足，的確有助於化解紛爭。

4. 守法：民主政治是法治政治，法治亦是他律、道德是自律，在民主政治中若只強調法治精神，而忽略了自律的道德修為，就不可能成為一個真正民主法治國家。而憲法正是依循的制高點。民主的生活是自由的生活及秩序的生活，這種自由與秩序的合理化，都有賴於法律制度的建立與守法精神的養成。

事實上，依據美國布朗大學政治哲學家拉摩爾（Charles Larmore）的分析，從16世紀開始，自由主義所要處理的兩大基本問題是：一是如何對政府的權力設定道德限制；二是在承認理性人對美好生活的本質有不同見解的前提下，如何在同一個政治體系下共同生活。

據此，容忍差異和承認宗教、道德、思想、信仰和生活方式的多樣性，是所有自由主義思想共同的核心觀念，亦構成良善社會的基本準則。傳統儒家政治亦強調「內聖外王」，內聖以道德為本、外王以法治為主。在政治領域中，道德和法治是相互共存，不可偏廢的一方。道德是正義之治，在任何時代都是評斷正義價值之標準。

四、結論：「良善的生活」需要公民素養

何謂「良善的生活」？人們總以為公民社會應該是創造「良善的生活」的實踐場域。的確，尋求「良善的生活」一直是生命中的思辨課題，亦涉及如何開創「正義社會」，亦即是當代人所追求自由民主道德的理想社會，正如孔子所言的「從心所欲不逾矩」，也就是都已經達到了，不妄作聰明，一切唯德是守，唯道是從等良善生活的境界，其終極目標正是建構〈禮運大同篇〉所言：「大道之行也，天下為公，選賢與能，講信修睦」的正義社會。

維繫「正義社會」的關鍵是如何培養合格的公民？自由民主社會所欠缺的已經不再是如何創造選票的知識，更重要者，應是如何培養一個健全的社會人，一個對社會具有尊重多元社會精神，願意關懷、貢獻與承擔道德民主的社會人。

因此自由主義所重視的個人自由和權利，正是對民主多數決的限制。據此，當代的民主政治將自由主義的精神和民主選舉結合，以多元的自由情境去避免社會人可能以多數欺壓少數。

是以如何培養合格的民主公民，對於自由主義的理解是不可或缺的。否則缺德的民主社會勢必因團體對立而割裂，偏激組織縱然可能遭到淘汰，但社會恐怕也會因此進入無法回復的混亂。因此任何民主社會均必須存在「基本的民主道德共識」，否則競爭將只會造成脫序。由於具有多元的自由情境共識的維繫，社會便可免於因團體競爭而割裂。而所謂的「基本民主道德共識」，正是「憲政規範」與「公民道德」概念。前者提供各團體一個共同認可的競賽規則，使落敗者縱然怨懟也只能接受結果；後者則為競爭過程訂出行為準則，避免競爭因情緒性言行而破壞社會的價值與穩定。缺乏兩

項基本共識的民主社會，根本不能成為自由民主的合格公民，更遑論「正義社會」的建構。

　　誠如美國開國總統華盛頓所言，「在促進政治繁榮的所有性情和習慣中，道德與宗教是不可缺少的支持力量。」亦即是，道德與宗教同樣是「人民和公民義務的最堅實支柱」，更是「正義社會的偉大支柱」，任何政治行為理當服膺並應珍惜。

台灣的抉擇❸——人民有權？政府有能？

選舉與民主

賴榮偉

人是生而自由，卻常困於枷鎖之中。

自以為是其他一切人的主人，反比其他一切人更是奴隸。

（L'homme est né libre, et partout il est dans les fers.

Tel se croit le maître des autres, qui ne laisse pas d'être plus esclave qu'eux.）

——盧梭（Jean-Jacques Rousseau），

《社會契約論》（Du contrat social ou Principes du droit politique）

一、前言

民主（democracy）是大家都能朗朗上口的名詞，但要進一步解釋民主，常見的答案是少數服從多數。民主一詞源於古希臘，原意乃人民統治（popular government）。耳熟能詳的民主定義是美國林肯（Abraham Lincoln）總統的說法：民有、民治、民享。若從三者關係探討，選舉能體現民治，進而實踐民有與民享。

不過，民主的實踐並非憑空想像。現代民主的價值與實踐奠基於「天賦人權」的理念，意在打擊昔時統治者所持的「君權神授」的論述。中華民國國父孫中山卻強調「革命民權」的主張，旨在證明由古迄今的人權從來不是「天上掉下來的禮物」。孫中山之意，民權其實是歷經人民對統治者一步一腳印、流血流汗地反對、抗爭甚至革命所獲得。換言之，民權從來不只是一套理念，更是信念與運動。

進入美歐民主理論發展的歷史脈絡中，不難發現，學者們也努力結合各國經驗，將民主一詞從高度抽象的概念中走入現實。從古典理論、修正理論到參與理論，或者從保障式模式、發展式模式、平衡式模式到參與式模式等，民主已不侷限於政治領域，更拓展到經濟民主與社會民主。現代的民主不僅是一種制度，更是一種意識形態、心理狀態、運動與生活方式。自由與平等的選舉成為民主的基本要素。衡量民主的尺度，更在於選舉能否體現民意政治、法治政治、責任政治、政黨政治、多數決等特徵。

當然，實踐民主尚須幾項條件，包括經濟、社會、文化以及政治等條件。台灣為什麼能從威權政體中進行民主轉型，有不同的解釋說法，包括：第一，經濟持續發展與社會轉型的成果；第二，反對運動人士長期努力的成果；第三，威權統治者主動促成。從1991年至2000年這十年間，台灣舉行多次全國性的選舉，包括有三次立法委員、二次國大代表、一次省長選舉、二次總統直選。透過這些選舉，台灣政府的領導人都間接或直接由人民選舉產生。這十年所舉行的選舉，也被視為是台灣民主化過程中的奠基選舉（founding election）。

看起來，選舉似乎是討論民主一貫所強調的條件，果真如此？本文將進一步討論選舉與民主之間的關連性，進言之，「選舉是否促進民主」，「選舉是否是民主」。文中的論述除了一窺台灣社會的歷史脈絡，也將參照不同學理，期使台灣公民更能洞悉此等「普世價值」。論述的釐清，必定有益於台灣公民探索憲政改革時權衡與抉擇。

二、選舉是否促進民主？

選舉促進民主乃在於強調人民透過自由、平等、公正、定期、

競爭與廣泛性的選舉制度來選擇政府及其治理方式，或言政府透過競爭人民的選票而獲取做成決定的權力。從統治者與被統治者的關係來看，選舉具有合法性功能，代表前者的統治權力是能夠被人民同意為正當與道義，從而自願服從。人民對選舉的參與，也意味著對現行國家制度的認可與支持，以行動來實踐天賦人權、自然權利與社會契約論等古典民主思想。

民主的選舉設計中，公民普遍享有選舉權與被選舉權，一方面，制度的平等帶來了開放，拓展人民選擇以及競爭的機會；另一方面，制度的運作更可能彰顯包容度，有利於不同政見者整合至體制內，從而組成代表廣大人民利益的政府。

選民與掌權者的委託關係，決定後者必然向前者負責；後者的績效與形象，將接受選民的考核與評判。基此，選舉對民主而言，具有監督與端正的功能。選舉能夠防止「暴君」或特權壟斷。從風險的角度來看，選舉對於民主，可以避免失敗政權的存續。

選舉的過程，本身也是一場社會資訊整合與傳播的過程，對國家具有穩定與和平的功能。現實世界中，社會群體的大小利益衝突無可避免，然而，透過選舉可以避免競爭無序與失序，降低非法暴力的產生。從社會與國家的關係來看，選舉的結果傳遞社會力量對比的資訊，少數派將能理解其與多數派的不同，換個角度，具有合法性與合法暴力的政權更可「嚇阻」少數派使用非法暴力表達利益的可能性，甚而促成少數派與多數派的合作形成。如此，以多數原則為核心的憲政秩序有利於降低社會合作的交易成本，有益於國家穩定。

唐斯（Anthony Downs）的「中間選民」（Median voter theorem）理論說明了在兩黨競爭的賽局中，因多數選民屬於意識形

態光譜的中間，政黨均會採取「向心競爭」的策略。換言之，選民影響了選舉走向，不同政黨的理念或政策差異將縮小，社會也因避免極端化而穩定。

選舉促進民主的功能之一，更在於培育包括知識、技能與情意等在內的公民民主素養。透過包括投票在內的整個選舉活動、過程的參與，公民必須面對不同候選人、政見與政黨的抉擇，從接觸資訊到蒐集資訊、判讀資訊，個人自我能力成長之餘，也意識到對國家與社會所存在的政治效能感、公民責任感以及鄉土情懷。

另一方面，選舉也有益於促進候選人的參政能力。候選人為了競爭，必然得充分關注選民的偏好以及展現掌握公共議題與政策的能力。除此，候選人是否具備良好的品德條件，自然也為人民所關注。

選舉的方式有兩類：直接選舉與間接選舉。前者指有資格的公民透過投票方式來行使選舉權利；後者則是有資格的公民先透過選出的代表再進一步進行選舉。

現今的台灣，總統以及立法院的立法委員由直接選舉產生；直轄市、縣、市，縣下各鄉、鎮、縣轄市與直轄市下各山地原住民區等各級行政區之地方行政首長及地方議會之議員也由直接選舉產生。

美國總統是經由各州普選選出選舉人團後，再由選舉人團間接選舉產生。美國的國會（參議院與眾議院）的議員由直接選舉產生；美國五十個州，州下各郡、市等各級行政區之地方行政首長及地方議會之議員由直接選舉產生。實行內閣制的日本、德國、奧地利、義大利、西班牙、英國等，因「議會至上」，行政部門的內閣

源自國會，不是由選民直接選舉產生，而是由國會選出。

　　台灣在2004年開始實施《公民投票法》，包括全國性適用事項以及地方性適用事項，進一步保障《中華民國憲法》第十七條的人民創制權與複決權，可謂直接民主之展現，作為間接民主（代議民主）為主的政治制度補充。

　　現代國家中的民主政治主要表現為代議民主（間接民主），即公民透過選舉代表建立代議機構，由其來運作憲法的制定或修改、法律制定、財政監督、選舉（如內閣制國家）、調查、準司法（如彈劾）、資訊傳播等功能。

　　人民之所以需要選舉代表來進行政治活動，乃因國家內部人口眾多，現實中諸多公共事務的決策難以完全實現直接民主。換言之，此等間接民主的存在其實是一種立足於現實主義的民主理念，從國家與社會的關係來看，人數眾多之餘如何進行公共事務的討論以及公共政策的決策，代議民主的方式可謂較佳的解決方案。

　　代議民主可避免現實世界中公民政治素養良莠不齊的狀況。代議民主的代表，即選民委託下的代理人，一方面，並非隨機或隨意選出；另一方面，能成為代表的人往往有較高的知識與道德，甚至相較多數人而擁有較高的社會地位。代表由於其自身的道德、知識等能力優勢，更能夠在公共事務中發揮積極作用。當然，選民是否可以駕馭代理人或是代理人根本架空選民進而形成寡占的特權集團，不可否認，這一直是間接民主實踐上的挑戰。

　　在台灣政治轉型和政治民主化過程中，選舉成為重要的政治轉型指標。台灣的選舉框架最初形成於1950年代中期。從大陸來台的國民黨政權，為了減少社會對統治集團的不滿，吸納社會力量進入政治

體制，透過地方自治建立台灣縣市基層選舉制度。不過，此等基層選舉只涉及台灣當局的基層統治體系，並未完全實現普遍的平等。

在威權體制自由化時期，台灣經濟的茁壯發展產生龐大的中產階級，民眾參政意識提升，致使國民黨政權必須處理面臨「合法化危機」。在蔣經國的領導下，執政菁英採取「本土化」以及有限開放中央層級選舉兩種策略。

1972年的「中央民意代表」的增額選舉，為黨外勢力和普通民眾的參政提供合法管道。此次選舉打破中央封閉、地方開放的二元政治結構，也為反對勢力鋪設邁向政治高層之路。

1977年，台灣實行地方自治以來最大規模的地方選舉。在選出的縣市長中，黨外人士占四位；在七十七位省議員中，黨外人士占二十一議席。此後，黨外勢力逐步增加，亦開始採取聯合的方式從事選舉競爭。1985年9月，部分黨外人士在台灣組成第一個黨外反對黨：民主進步黨。威權政治自由化的轉型，走向不同政黨的多元競爭格局。

1988年李登輝以副總統身分依據憲法規定繼任總統，加緊實現本土化政策。以行政院部會首長為例，1984年本省籍占三成初，1998年儼然一半；在民意機構中，1989年與1992年的本省籍立委均已八成。2001年立委選舉後，本省籍已將近八成五。此等體現本土化的進展。

1990年代，台灣政治步入直選紀元。1993年中華民國縣市長選舉，即地方自治以來的第十二屆縣市長選舉。1994年中華民國省市長暨省市議員選舉，是中華民國台灣省的省長、省議員以及兩個直轄市（臺北市、高雄市）的市長、市議員的直接選舉。1996年中

華民國第九屆總統選舉，中華民國政治史上第一次總統、副總統由公民直選。國民黨雖然在各個層面仍有優勢，但民進黨的逐步茁壯已顯示具有與國民黨抗衡的資本。

2000年的第一次政黨輪替與2008年的第二次政黨輪替具有重大的歷史意義，標誌著民主化發展的初步鞏固。2000年3月，民進黨候選人陳呂配（陳水扁、呂秀蓮）以些微多數勝選，標誌著國民黨在台執政半世紀的歷史終結；2008年國民黨候選人馬蕭配（馬英九、蕭萬長）的勝選則進一步實現台灣選舉的二次政黨輪替。兩次政黨輪替中的爭執以及和平結果，不難看出，台灣人民對於選舉的關心以及理性化的成長。國際社會也咸認此乃台灣民主化的初步鞏固。

多年來的台灣選舉變遷，吾人可看到幾點特徵。首先，選舉開放層次逐步提高。前文已提及，國民黨來台初期實行的地方開放、中央封閉的二元選舉體制。地方基層的村、里長和鄉、鎮縣轄市長及民意代表的選舉由直選產生。而中央層級部門的選舉則由選舉或指派的方式產生。直至1970年代，為了化消社會矛盾，蔣經國實行「本土化」以及有限開放中央層級選舉兩種策略，全面開放則是在1990年代完成。台灣的選舉層次是逐步提高，範圍是逐步開放，並非激進式的變革。

其次，選舉過程中，政黨的勢力是不容忽視的因素。黨外勢力從不成氣候到1970年代開始挑戰國民黨的權威。台灣政治版圖上的國民黨與民進黨的兩黨競爭形成於1980年代，迄今儼然形成以國民黨為主的「泛藍」與以民進黨為主「泛綠」的兩大政黨聯盟對峙格局，第三勢力的生存顯得掙扎。

顯然，探索台灣選舉的演變，有內因也有外因，有經濟因素也有政治因素，有群體因素自然也有前述可窺見的決策者個人因素。

經濟的發展是其一，台灣威權體制下的經濟發展策略是把民生放在首位，以市場經濟為導向，採取扶持民營資本、促進中小企業的崛起、財經技術官僚體系的專業化等措施。此等經濟政策壯大台灣的中產階級，其強烈的政治參與意識也成為推動台灣選舉變革的階級基礎。除此，在現代化與城市化的衝擊下，台灣的農村已非傳統農村社會。台灣農民的生產方式、生活方式與政治價值觀都產生根本變化。台灣農民已非傳統意義上的臣屬，而是具有政治參與意識的現代公民，成為選舉演化的積極力量。

政治文化原因是其二。1950年代時期的台灣政治文化源頭有中國傳統的臣屬型文化、日本殖民統治文化以及台灣近代民主運動文化等。近代台灣社會的政治文化源於中國傳統的臣屬型文化，日本殖民統治加劇此等傾向。台灣人民的政治參與意識茁壯於近代的民主運動抗爭中，儘管諸如「二二八事件」以及威權統治制約民眾的意識，但是經濟發展摧毀台灣臣屬型文化的基礎，現代參與型文化逐步上揚。參與型文化的形成，影響台灣選舉的發展。

就二十至四十歲的台灣青年世代為例，青年在基層選舉的政治參與度高，勝選率也較高，勝選進一步促進青年群體參選的積極度。相對地，在選舉層級較高且當選名額較少的立法委員選舉中，青年參選熱度相對較低，成功率也較低。這反映出青年世代的政治參與狀態，一方面，對家鄉有著深厚的鄉土情結，政治主導意識增強，積極參與基層選舉；另一方面，受限於資源較少，難以在更高的政治場域中站穩腳跟。

另外，不可忽視的轉變與因素，台灣青年參政的興盛源於2014年太陽花學運之後的轉變。制度外參與所帶來形象受損以及青年世代的內鬥，讓不少青年選擇走入制度內。青年們的政治主導性，在

於懂得利用台灣內部長期的政治競爭氛圍而成為藍綠陣營拉攏的對象以及媒體青睞的焦點。

在台灣的選舉轉型過程中，美國也被視為一個不容忽視的外部因素。美國對華的戰略布局中，包括企圖將台灣打造成和平演變大陸的前哨地，影響台灣的民主價值發展與制度走向。台美斷交後，國民黨政府受到來自華府行政與立法部門敦促民主化的壓力有增無減，影響了諸如廢除《戒嚴令》、開放黨禁、尊重人權等政治改革。黨禁的開放，也造成台灣的選舉制度與運作的實質變動。

台灣選舉的演變對於威權體制的政治轉型具有一定的參考意義，堪稱東亞政治發展中的一種成功模式。當然，台灣的選舉實踐也非完美無缺，其模式與過程是否套用於不同文化圈卻也值得各方討論。

三、選舉是否是民主？

從政治參與角度來看，選舉能體現人民當家作主，但選舉並非萬能，換言之，選舉可以是民主的必要條件，但非是充分條件。無論是老牌的民主國家還是新興的民主國家，即使選舉運作正常，結果仍可能「非正義」。

選舉對民主發展的侷限，來自兩方面：選民主體的有限性以及選舉機制運作的有限性。

（一）選民主體的有限性

要選賢與能，得相信選民投票行為的理性。但現實中，人的決策與行為根本無法達到「完全理性」。「理性人模式」（rational man model）根本不存在。人只能意圖理性，但難以完全理性。一

方面，選民做判斷時，難以在足夠的時間下探尋到充分、即時且準確的資訊；另一方面，選民的能力有限，難以針對所有候選人、政黨、政策進行從容不迫的比較與篩選。選民非完人，在決策中能夠權衡與評價所有選項的效用與或然率，顯得天方夜譚。

選民的「有限理性」行為反映在，其一是無知。布萊斯（James Bryce）認為，多數公民並不太注意國家大事，除非特別重要事件，他們其實願意將所有事務委託給少數人。現實生活中，民眾大都能認出體育明星、電影明星但卻搞不懂自己國家的政治官員。多數選民並不瞭解政治的實際運作，比如政黨的綱領、候選人能力與政策主張、大選的辯論焦點等。卡普蘭（Bryan Caplan）更認為，無知或者無法思辨就投票的選民，更容易選擇對社會有負面影響的候選人或政見。

其二是矛盾。選民的判斷難以始終處於自覺、有意識的過程中，目標或動機的動搖與猶豫致使矛盾經常發生。「分裂投票」（split-ticket voting）是指選民在不同的場合將自己的選票分別投給不同的政黨及其候選人的現象。分裂投票的產生，與選民動機的矛盾有關，選民有可能認同某一政黨及其政策，但同時又偏好另一政黨的候選人。換言之，選民會支持自相矛盾的政策或完全對立的候選人，以致選舉中呈現搖擺的特性。

其三是易變。心理學的「從眾效應」（bandwagon effect）、「團體迷思」（groupthink）等啟示吾人，人當參與群聚時，其理性判斷會受到影響，行為易受情感的支配，衝動、急躁、易受誘導、情緒浮誇、信念偏執、保守、專橫等盲目特色層出不窮。換言之，「人云亦云」，尤其當自我深感無足輕重之時，選舉的結果更成為選民一種「隨意」的選擇。

表達性投票（Expressive Voting）則說明著另外一種非理性的投票現象。人的投票偏好其實並非在意此票是否能對社會的影響，更著重的乃這一票代表著自我的立場以及情緒的滿足。

　　以台灣的青年投票為例，青年的從眾心理甚至出現「為反對而反對」的盲從。套用過分簡單的立場以及「非理性思維」來看待候選人，是此一面向。梗圖與懶人包大行其道並非沒有道理。對政治人物好惡鮮明，政治喜好週期短，更令候選人難以捉摸。青年族群喜好新鮮事物而善變，感情用事對政治人物而言猶如一把雙刃劍，青年群體的易塑性致使政治動員難度小，改變政治立場不難；另一方面，青年群體若對於支持對象失去興趣後將迅速「撤離」，甚至轉而支持其競爭對手，對曾經的支持者產生進行「攻擊」。

　　「後物質主義價值觀」以及「世代效應」或可解釋前述。後物質主義價值觀，說明著青年族群更重視世俗理性的進步價值，在同性戀、兩性平等社會議題上更具包容的態度。「世代效應」，則說明每一代人在形成價值觀的未成年時期深受當時外部環境的影響，形成反映當時環境下的這一代人特色的代際文化群體。

　　在後物質主義價值觀之下，青年族群尤其是更年輕者並不喜歡一種為求利益、為求生存而理想、形象皆可拋的價值。從世代效應來看，年輕者對於傳統倫理的長輩說教與規範更是表達出強烈的反抗。多年來，轉型正義、世代正義、婚姻平權等議題在年輕群體中具有較高關注度，成為政治運動的主導議題。民主進步黨在青年心中也長期占據著弱勢群體代言人、中間偏左以及擁抱青年世代「進步價值」的形象與角色。因此，對其他候選人與政黨而言，如何改變此一認知，也成為選舉策略的重點訴求。

選民的有限理性，自然制約選舉所能發揮的民主效應。首先，選民無法選出合格的代表，尤有甚者，選民將受制於自己選舉產生的菁英，直言之，其實是「代表讓選民使他當選」。選舉的過程與結果，變成菁英對選民的影響大於選民對菁英的影響。

其實，選舉乃民眾與菁英實現合作的一種形式，然而，選民因有限理性之故顯然處於被代表和被領導的地位。換言之，民主變成菁英民主。「民有、民治、民享」可能變成是僅關心人民福利的民享，民有和民治的目標難以實踐。

莫斯卡（Gaetano Mosca）認為，選民的選票作用其實很有限。選民的選擇空間常被侷限於兩、三位可能的勝選者之間；觀之這兩、三位，通常有團體或組織的奧援。選舉只是讓民眾感受到自己正在發揮政治影響力，簡言之，僅是一種聯繫群眾與合法秩序的象徵性活動。民主，最後，可能變成「選主」。

（二）選舉機制運作的有限性

在選舉中，為確保選舉結果，廣泛採用能夠確保效率與一致性相結合的多數決原則。只不過，多數決真能發揮從個體偏好至集體偏好的和諧整合功能嗎？質疑聲音不少。

首先，多數決的裁定不能代表公共利益，直言之，多數人的意志不等於人民的意志。社會的普遍利益並非個人利益的簡單相加。多數決的裁定並不必然體現公意，此取決於每一位是按照個人利益投票？還是顧慮到集體的利益而行動？然而一如前述，多數決的裁定存在著很多變數，比如資訊不足、被私人利益宰制、屈服於派系衝突等。因此，多數人的選擇未必是最佳的選擇；民主社會，共同意志由票數來決定，此等數字所決定的共同意志並不一定等同公意。

單就多數決的「多數」來討論，就有結果不穩定的批評。現實中，不同個人與群體所指涉的共同福利可能就不同，進言之，所有人在作為「個體」所需要以及作為一個「集體」所需要的，兩者可能不盡相同。多數人的意志未必有一致性。18世紀的孔多賽（Marie Jean Antoine Nicolas de Caritat）「投票悖論」（the voting paradox）更說明，投票乃是將個人偏好轉化為社會偏好，但在多數投票原則之下，此等轉化會有障礙甚至無法產生穩定的結果。

多數決的裁定也可能扭曲選民意志。在選舉中，為了獲得多數選票，策略做票經常可見，比如收買少數而拼湊出多數。此等策略作法，強調討價還價，以致於所謂的「多數」並非是依照規則所形成共識的多數。畢竟，不少選民可能並不關切選舉事務，但卻樂於透過同意來換得自身利益的獲得。此等「短視近利」的現實作為，讓所謂的「多數利益」的產生其實源自一連串的交易與操縱，進言之，「多數利益」是假，更可能是少數人對社會多數人所希冀利益的扭曲或強占。

其次，從程序正義的角度來看，選舉的程序難以保障敗選者與缺席者的權利。在選舉的多數裁定之下，敗選者承認勝選者的合法性，勝選者組成政府，但此等並不剝奪敗選者與缺席者存在的權利。正所謂「少數服從多數，多數尊重少數」。換言之，敗選者與敗選政黨的選民的利益偏好與願望該如何照顧？其是否不受到當選者的秋後算帳？缺席者的真實想法又是如何？畢竟，對部分少數族群（民族、宗教或者文化等）而言，其根本難以從全國性的大選中獲勝。

選舉的程序特性，讓選民間的利益分歧被簡單化處理。換言之，選舉不一定讓社會上的不同意見可以相互包容。一人一票、票票等值，有可能淪於機械化的問題處理，無益於選民對不同議題的

深度對話與理解。形式規則定義了政治合法性，形成民主價值的空洞化。判斷民主的標準成為選票的數學計算，選舉程序乃空洞的技術實踐，成為一種脫離正義、倫理等生命價值因素的純形式，據此，此等機械化的程序可能導致政治參與的危機。公民的投票參與，若覺察不到實質的價值，其將感受到空虛、無力、挫折、不滿甚至憤怒。

再者，選民跟代表之間也存在著「委託─代理」的困境。「委託─代理」關係反映著人民主權與管理權的分離，困境顯示在兩方面：一是選民（委託者）與代表（代理者）由於目標不一致而產生關係上的道德風險；二是選民與代表之間因資訊不對稱而難以有效監督。

選民與代表若存在著目標不一致，代表也會因為追求自身效用的極大化而做出逆向選擇，此乃損害委託人利益的道德風險行為。候選人為了勝選，處處迎合選民期望，許下當選後根本難以實踐的諾言。因此，選民在投票日行使當家作主的權利，但卻在隨後的若干歲月中冒著被當選者背叛的風險，並且還深受其組成政權所制定的政策與規則的控制。一如盧梭（Jean-Jacques Rousseau）昔日之描述，英國人一直以為是自由，孰不知其只有在選舉國會議員之時才是自由，待選舉結束，他們就成為奴隸。

選民與代表之間的資訊不對稱，也致使委託者難以有效監督代理者。勝選者的逆向選擇若能夠被選民察覺，選民或許還可運用其他方式撤換此等公職人員；麻煩的是，在委託代理關係中，委託人與代理人存在著資訊不對稱的情況，委託者經常處於弱勢。代理者因擔任公職，其職務與職權的優勢加上本身的能力也較佳等，均將導致專業不足的選民無法精準辨別代理人的績效良窳，難以有效監督。

四、代結論：孫中山思想的啟示

　　整體而言，選舉要促進民主確實存在著諸多的變數。探討選舉的有限性並不是要否定選舉對民主的重要性。吾人不能因噎廢食，就如亞當斯（Jane Addams）的名言，救治民主弊病的唯一良方是更多的民主。

　　從政治參與的角度，透過教育強化選民的理性能力是一途徑。強化人民的直接參與以彌補間接民主的不足，也是經常的提起的另一途徑。審議民主（deliberative democracy）結合間接民主，是近年盛行的觀念與作法。在實踐中，結合選舉與協商，有益於彌合與縮小選舉中存在的分歧，甚至進一步培育選舉過程中的公共理性，從而提升選舉過程中的民主素養。

　　審議民主表達出來的理念有幾個原則：自由、平等、理性與合法性。自由與平等，強調協商主體在審議過程中的各個階段的平等，不受多數權威的制約限制。理性，體現在協商的參與者能夠根據理性做出自由的選擇判斷，進而達成妥協與共識。合法性則要求，首先，決策不是依據權威而是依據理性；其次，決策的合法性是奠基在廣大公民在決策前的充分討論以及一致的共識。

　　審議民主關注的是彼此在政治互動中的偏好轉換，強調民主參與對於公民精神培養的意義，肯定公民積極參與政治生活，力圖透過民主程序的完善以擴大參與範圍進而強調自由平等的對話來消除衝突，保證公共理性和普遍利益的實現，以修正選舉模式的不足。

　　其實，一世紀多前的孫中山為了推翻昏庸腐朽的滿清政府，建立「賢良政府」與「純潔政治」，其豐富的論述已具審議民主的理念，深具啟示。

孫中山主張政府要為人民服務，而官員就是人民的公僕。孫中山在官民關係上的公僕定位重構政民關係。他認為，人民才是國家的主人，而政府和官吏都是為人民服務才產生。孫中山認為民主政治可為政權和治權，政權是人民管理政府的民權，而治權是政府自身的行政權力。具體到兩種關係的處理上，應該由政權支配治權，由治權管理國家事務。關於政權和治權，孫中山解釋為「權」和「能」，他強調，國家乃一輛大汽車，政府中的官吏就是一些大車夫，人民是汽車的主人，無能但有權，而車夫是有能但無權。國家的政治，根本上是要人民有權，至於管理政府的人，便要付之於有能的專門家。

如何確保公民乃是政府的所有者或主人？孫中山的權能區分以及與萬能政府論述可見端倪。國家現代化的建設中，政治（管理眾人之事）必須區分權與能。人民有權（選舉權、罷免權、創制權、複決權），此為政權，亦是民權；政府有能（行政權、立法權、司法權、考試權、監察權），此為治權、政府權。簡言之，人民掌握民權（集合眾人之事的力量），進而致使具有管理眾人之事力量（治權）的政府以人民意志（福利）為依歸（不專制），造就為人民辦好政務、聽人民指揮的「萬能政府」，體現「主權在民」與「全民政治」。

「萬能政府」其實強調效能與人民本位，因此必須力行「專家政治」：由學有專長、才德兼優的人來辦理眾人之事。進言之，管理眾人之事必須付之於具有深究的專門家，這無疑就是「政治專門化」、「政治技術化」。當然，從治權組成與實踐的角度來看，技術專家如何參與政治的治理方式可以多元化。無論如何，孫中山在民權論述所展示的合作主義，已經彰顯對民間社會有才之人的重視。此等詮釋，自是蘊含公部門與私部門、國家與社會之間的權力

分享與行動參與之意義。

　　有效的治理，在於促使社會管理中公共利益的最大化。首先，孫中山的三民主義就是「養民」主義。民生主義的「養民」雖從實業革命後人民的物質性利益不平等作為出發，但卻不侷限於此；社會問題與公共事務更多涉及物質性與精神性的利益需求不平等。孫中山思想的目的即是養民主義，人民利益定然重視經濟但卻非僅止於此。人民需求必定包括民族、民權與民生等多層次、多面向。民有、民治與民享理念，貫穿整個三民主義體系。

　　再者，若細究孫中山思想中的合作社相關論述，不難發現在促使社會管理中公共利益的最大化的過程中，有賴國家與社會或者說政府與公民之間的良好合作。沒有公民的積極參與、合作以及認同，治理的有效性難以實踐。換言之，良好的治理成果就是孫中山的「合作讓社會更美好」論述，實踐養民的同時亦是體現三民主義的精神。

　　孫中山先生充分認知到人才對於革命和國家建設的重要性。孫中山認為，優秀的政府管理人員，應具備兩種基本素質，即良好的道德品質和創造事業的才能。後者其實可以現代的企業家做比擬。不過，孫中山特別強調政府官員的道德品行，即「任官惟賢」。孫中山歷經滿清政府的昏庸無能、官員的中飽私囊，因此，他對於政府管理人員的道德品質格外強調。他認為良好的道德品質，即他所說的「賢」，是所有官員的第一「美德」。

　　滿足公共需要的政策和方案可以透過集體努力和合作過程得到最有效並且最負責的實施。孫中山強調互助重於競爭的理念（互助所獲得之利益將比競爭所獲得的利益更為豐厚），其闡釋解決工業社會（實業革命）所帶來的社會問題時，更提倡合作社的實踐。

合作社的實踐，重視各個環節與角色的平等參與，集體利益的來源以個人利益為基礎，因而從資本、生產、分配乃至消費各個環節間的彼此相互依賴與合作互惠，其各自所代表的價值，皆有存在的必要，不應片面的將其對立，而是採取互助立場以及解決公共事務為著想。

孫中山認為，合作社的理念，包含「自主參與」、「共同經營與治理」及「組織經營與分配」，人民本身須有自主意識，共同為參與合作社而努力；經營合作社有其平等的參與權力，並得為治理合作組織而努力；合作社之經營利益分配屬於所有社員，藉由互助合作創造最大的組織利益。

其實，有關合作社的意義，就是孫中山的三民主義理念的實踐，如同民族主義下強調團結（民有）、民權主義下關切制度與平等（民治）、民生主義下著重人民福祉的提升（民享）。此等合作主義理念，自是呼應地方自治的理念，也契合審議民主對於治理主體多元化與平等的要求。

孫中山提到民權時指出，大凡有團體有組織的眾人就叫做民；權就是力量。民權乃民眾之主權，換言之，主權在民就是民權。主權在民，即主權屬於國民之全體。所謂的全民政治，便是國民全體的政治，沒有種族、宗教、性別、職業、階級以及黨派的分別；只要是國民，都可有同等的民權，都有資格作國家的主人翁。換言之，「民」是一個統稱，無種族、宗教、性別、職業、階級以及黨派之差別。

孫中山闡述，三民主義就是民有、民治、民享，此等民有、民治、民享就是國家是人民所共有，政治是人民所共管，利益是人民所共享。所謂的「共」無非就是防止政府失靈與市場失靈，追求國家現代化的同時，也避免社會動盪，追求社會的公平與正義。

簡言之，孫中山思想體系便有人本主義與民主主義理念與精神，制度偏好自始更有剷除官僚主義弊端的目的。政府與人民之間的公共議題處理，應是問題乃共同、權力是分享、行動參與乃夥伴，最終以達「國家是人民所共有，政治是人民所共管，利益是人民所共享。

台灣的抉擇 ❸──人民有權？政府有能？

總統的權力與憲政體制的修改

呂嘉穎

> 無才可去補蒼天，枉入紅塵若許年。
>
> 此係身前身後事，請誰記去作奇傳？
>
> 滿紙荒唐言，一把辛酸淚，都云作者痴，誰解其中味。
>
> 假作真時真亦假，無為有處有還無。
>
> ——《紅樓夢·第一回》

一、前言

　　每逢選舉年，民眾的政治激情往往造成社會的激盪，也引起國外媒體對於台灣選舉的關注。雖然在民主國家常可見兩大對立的政黨或政黨聯盟，在選舉的過程中，將雙方候選人的過往行為一一「揭露」，但如果揭露的訊息並不正確，卻也未見勝選或敗選的候選人，於選後真切地向對手道歉。這種連祖宗十八代歷史都找出來的情況，不論東、西方，下至地方民代、上至總統大選，都能見此亂象而未能有效解決，反倒是對於執政者在執政期間的政見執行程度、競選挑戰者提出的政見，看起來都與選舉沒有太大的關聯，更何況是現行最高層級的總統大選，又有誰在選後真正檢視總統當選人在其任期內做了些什麼？還沒實現的政見又是什麼？

　　換言之，這樣以意識型態作為選舉檢覈標準的情形，與孫中山先生的三民主義、五權憲法，甚至是權能區分的國家路線，似乎有著極大的衝突與不同。對孫中山先生而言，民族認同與國族意識是

建國與治國的先決條件，然而在社會缺乏共識的情況下，民眾該怎麼認同或是凝聚國族意識？

也因為如此，政治上矛盾的心態被名嘴、政論節目不斷放大，使得許多民眾在不了解現況、法律規範、政治運作的前提下，都把在媒體上所看到的批評，當成是現行政治運行的態樣，但實際層面的制衡、協商卻被一筆帶過。這樣互相衝突的情況，在政治學的研究之中亦不少見，多數論點認為民眾一方面肯定政黨的必要性，但另一方面又不信任政黨；除此之外，雖然在選舉之前，中選會會寄發所謂的選舉公報，藉此讓候選人以文本的方式闡述政見。但遺憾的是，能夠細細閱讀相關文件，並思考實現可能性的人，實際上卻也是寥寥可數。

也因為如此，本文試圖從台灣政治領域中，常被提及但卻難以「說清楚、講明白」的總統權力與憲政體制著手，希望能以較為簡單明瞭的方式，讓民眾去思考，現行總統權力真如部分論者所謂：「總統有權無責、行政院院長有責無權」嗎？又或者是在兩大黨都拋出憲政體制需要修正的議題後，民眾卻未能有效理解憲政體制需要修改的原因、可能改變的態樣，甚至對於台灣而言，有如何「必須」修正的利益存在？而在研究方法使用上，因本文希望達到普及知識的目的，雖不全然將理論代入其中，但卻無法避免引用部分文獻，甚至是中山學說，藉以讓全民對孫中山思想、憲政體制與憲法，有著較為簡易的理解途徑。次段便從現行憲政體制之主要類型，亦即半總統制（semi-presidentialism）、美式總統制（presidentialism），以及英、日等國所用的議會內閣制（parliamentarism）進行概述和比較。

二、不同憲政體制下的權力結構

假設今天台灣憲政體制需要轉型成總統制或議會內閣制，政治人物首先要告訴民眾的是，現有的憲政體制或政治運作，究竟發生了什麼樣的問題難以從內部修正，而必須以全面捨棄現有體制的方式，將半總統制換軌到總統制或議會內閣制中。但這樣的邏輯，卻並未出現在政治人物的思考範圍之中，雖然各大政黨都認為需要作出修正，然而要改些什麼、怎麼改，改了之後的利益何在？也沒有一個較能民眾「理解」的脈絡可循。又或者是針對五權憲法下的監察權與考試權來說，兩大政黨都曾全面執政，但時至今日，對於監察院與考試院的批評言猶在耳，但實際上卻仍未能實質廢除，甚至產生了許多令人疑惑定位的獨立機關，各位讀者閱讀至此，應能仔細想想，考試權與監察權在西方三權分立的情況下，是隸屬屬於何種權力之下？或是孫中山先生為什麼要提出五權憲法？倘若這些問題各位都能回答得出來，恭喜各位對於現今政治及憲政發展史有著一定程度的了解，但作者相信，仍有不少的讀者並不清楚這些被視為「理所當然、應該修正」的問題，卻沒有人保證直接轉換、修正憲政體制所帶來的利益，會遠比從現有內生問題的檢討、改善更為有效。

雖然多數的文獻或參考書都將憲政體制概略區分成三大主要類型[1]，也就是總統制、半總統制與議會內閣制，但事實上卻會依照各國國情的不同，而有著次類型[2]或實質運作上的差異。但如果將之忽略不談，以行政權的實質掌握者觀之，應能簡略的做出辨別與區分：

（一）總統制的總統總攬行政大權，但由於該職位是民眾選舉所產生的，故在掌握行政權的同時，應向選民

負相關政治責任。更細緻的論述如下分點所述。

1. 總統制的最高行政首長是總統。

2. 決策權屬於總統所特有，因此沒有內閣制的副署制度。

3. 也因為總統來自民眾投票的結果所產生，因此總統對民意負責，而不對議會負責。

4. 相關行政人員並不兼任議員，也不列席議會，因行政官員屬於總統轄下的下屬。

5. 總統所屬的行政體系沒有直接在議會提出法案的權力。

（二）議會內閣制的總理（首相）為民眾選舉出的國會最大黨（或最大政黨聯盟），所推派的行政首長，因其權力來自國會授權，故行政權與立法權可以被視為一體，國會議員也能兼任政府官員。而元首僅具代表國家的象徵地位，其特點如後所載：

1. 內閣制的主軸為元首權和行政權分離。

2. 內閣由總理及閣員組成。

3. 總理及閣員的產生以獲議會信任為前提而組成。

4. 議會對國家大政有參與決策權。

5. 內閣以集體責任的方式對議會負責。

6. 部分國家有第一院（下議院、眾議院）與第二院（上議院、參議院）。

（三）半總統制（或稱雙首長制）則是以杜佛傑（Maurice Duverger）的定義為主。杜佛傑在其文中曾表示，半總統制並非總統的權力受到制約而減損，而是說明法國總統在權力如同總統制的總統在具有諸多權力的同時，並不需如內閣制的總理須直接面對國會，而是讓同樣具有行政權的總理，向國會負責，且同樣需取得國會多數信任。此一兼具總統制與內閣制特點的雙首長制，為第五共和以來的運作特色。其對半總統制的定義如下：

1. 一位經普選產生的總統。

2. 總統具有一定的權力。

3. 另一個具有行政權力且受國會信任的總理。

4. 該憲政體制主要的重點如：

（1）總統與總理皆為實質掌握行政權的行政首長。

（2）部分總統的決策須總理的副署。

（3）內閣對議會負責、總統不對議會負責。

（4）總統行政院院長任「免」或任「命」的爭議。（台灣）

（5）總統有法案否決權。

（6）議會無法直接對總統投不信任票，只能將該權力實施在總理身上。

如上所述，吾輩常見川普（Donald Trump）在擔任總統時，對國會（立法權）的批評與不滿；而在英國首相強生（Boris Johnson）受國會議員逼辭職時，確實需要多方的支持，才能保住該職位；而因為不同國家的國情、政治運作方式有所差異，也因此形成了雖然是雙首長（半總統）制，但因為總統或總理掌握的權力大小不一，而有著次類型（總統—國會制、總理—總統制等）等的樣貌。本文並不欲在此定位台灣半總統制屬於何種次類型，相關的研究在國內已能從多方角度切入，但實際上卻也能從中發現，由於半總統制的權力確實可能因憲法規範、政黨政治等應然面與實然面的變化，而產生總統權力較大（小）或總理（行政院院長）權力較小（大）的情形，這樣的思考確實是可被預期的。

但也因為如此，半總統制下的總統與行政院院長，如若沒有相關的憲政慣例（或本就沒有遵守憲政慣例的習慣），在國家政策的規劃上，實則很難完全劃分雙方所應有的權力跟不應逾越分際的紅線。這樣的思考，從法律規範中便難以完整定義，更何況於政黨政治的運作之中，常見總統身兼國會最大黨主席。如此一來，透過黨內機制或規範的使用，亦能讓行政院院長依循總統對政策的擘劃路線而制定政策。

舉例來說，在解嚴之後，李登輝總統和郝柏村院長之間的衝突與政治運作，相信對於經歷過該時期的民眾，或是看過《國際橋牌社》的讀者，都能了解到李登輝總統藉由政治手段的使用，讓郝柏村院長的軍權自此回歸國家所有的結果；另一方面，時任總統的李登輝先生所面臨最大的對手，則是來自於黨內同為民選產生的宋楚瑜省長。當李連配的得票率遠較宋楚瑜一人參選的得票率低，則如何讓宋楚瑜不成為「功高震主」的「韓信」。便也成為時任總統的李登輝先生，在思考民意支持度遠低於省長時，如果後續宋楚瑜先

生宣布角逐次任總統大位，則以其投票率來看，最強的對手則是來自黨內而非黨外，故後續以精省、廢省的方式，逐漸降低宋楚瑜先生在黨內的影響力，也是不可避免的政治手段。

另一方面，1996年連戰副總統兼任行政院院長，的確引發了朝野之間的爭論，李登輝總統雖用「著毋庸議」四字批示了連戰的請辭公文，然總統直接影響政治運作的情形，卻也能從大法官釋字四一九號解釋中，看出此類爭議屬於政治問題，而非憲法（法律層面）之問題。是故，總統在政治上的權力，除了法有明定之情形外，亦能如上所述，以政治層面的介入作為實現目的之方法。

從前所述，應能發現台灣憲政體制在憲法（及增修條文）中，事實上是有明文規定權力使用的範圍、內容及限制。但會發生憲政爭議的主要原因，多半是總統本人希望透過政黨政治，如擔任黨主席時所掌握的相關提名權等，從而強化己身在行政、立法層面的影響力，讓自己所欲推動的法案能順利通過，且在台灣總統與立院多數多為同一政黨的情況下，這樣的思考確實更容易實行。

在初步對三種憲政體制及台灣首次政黨輪替前的憲政爭議作一簡單論述後，後續則從另一種角度去思考，現行憲政體制需要改變的理由或原因。最常被提起的論點在於，由於憲法本文與增修條文和現況有實際上運作的差距，亦即該部憲法的適用範圍、制定時間，不及於大陸或不符合台灣現行政治情況，所以應該修改憲法。但在兩次政黨輪替，民進黨政府亦取得執政權的情況下，卻也未見其挾有立法院多數優勢，進而更改國名或捨棄現有憲法。雖然很多人會認為這樣的「結果」，是憲法修正的門檻過高，可能受制於在野黨的影響，故無法有效修憲，雖這確實是問題之一，然若修憲為朝野共識，又何來受牽制而無法修憲之虞。

然相關討論非作者意欲於此文中所探討的概念，只是提出一個問題供讀者思考，倘若修憲門檻大幅降低，會不會產生今天你針對「某一議題進行修憲，改天我又針對另一議題進行修憲」的困境？眾所皆知，憲法為國家根本大法，需要有一定的最高性、穩定性存在，不管今天的執政者是誰，都是依據《中華民國憲法》由人民選出的總統與副總統，如果需要修正憲法，則社會本就應該要有極大的共識為前提，考量到國際情勢可能產生的影響，共同決定台灣未來的前途並且承擔應有的責任及義務。

回顧近年來，因罷免門檻下修、公投不綁大選造成的「年年要投票」現象，久而久之，人們自然會對政治性的投票產生疲乏感。更遑論現今公投議案不被重視的情形，確實造成了議題的本我價值逐漸被忽略，及漠然視之公投結果帶來的後續改變的態樣。或許讀者們亦能捫心自問，當閱讀到這篇文章時，對於近年來較具爭議性的公投議案有多少程度的了解？是否能夠以一到兩句話總結該議案正反雙方的意見與爭執點？然若讀者能將完整表述作者提出的問題，恭喜正在閱讀此文的讀者們，您在投票過程中的「選擇」，確實是經過深思熟慮的。但依作者在教學上的經驗來看，許多具有投票權的民眾，其得到相關資訊的來源，不是被切割後的網路訊息，就是有特定目的的假消息，更不用說因電視政論節目立場的偏頗，名嘴或邀請的政治人物本就會選擇與己身立場相近的「說法」，而忽略了議題的真實性與正確性。更重要的是，這樣的結果已然造成世代之間的衝突與撕裂，卻也未見有效的解決方法。

正因為如此，作者才認為現今政治人物所稱的「亂象」，並不是憲政體制所造成的問題，而是政黨政治或內部政治運作使然，假設作者的論點可以被讀者接受，那麼只要將內部政治的問題解決，

則所有爭議不就隨之消失？又何必以改變國家路線、稱謂，或是整體價值觀念的憲政體制變革為「唯一解」？而不反求諸己優先和民眾溝通、朝野協商，藉此找出社會價值的最大公約數，進而試圖以「最適解」將之修正？

三、假設總統選制改為絕對多數制？

從概念上來看，現今的總統選制為相對多數制，也就是說無論參選的組別有多少，只要最後的結果比其他候選人多一票，就屬在此次的總統選舉之中獲勝。回歸歷史層面做思考，也能發現當初對於總統選制的考量，確實是於相對多數制與絕對多數制之間搖擺的。

如若以原先師法半總統制的法國總統投票機制來看，兩輪選舉的制度，在台灣並未能施行。如以文獻回顧的方法為本，能夠發現法國兩輪選舉的用意，是為了總統在民意支持上，能夠較為紮實的基礎，因第二輪選舉將產生的「獲勝者」，勢必會獲得過半數的有效選票，而能使其在後續施政上，以超過半數的民意作為後盾，不致產生跛腳總統的情形[3]。

但台灣2000年總統大選的「三腳督」情形，事實上是在泛藍陣營分裂下，加上選舉制度改採相對多數制，而使民進黨籍的陳水扁總統打敗連戰先生與宋楚瑜先生。當然，倘若只是總統選制採相對多數決，理論上並不會造成施政的困境，但當時的立法院卻形成國民黨為多數黨、總統所屬政黨為少數黨的態樣。因此如果總統希望立法院順利通過其所提出的法案，則可能面臨當時多數黨的杯葛，而無法像前述情形般，讓總統透過身為政黨主席或政黨政治的影響，使法案在立法院降低因杯葛而遲延的時程，盡量將總統欲推行的法案有效通過。

因此，當時的總統陳水扁先生，提名了國民黨籍的唐飛做為行政院院長，開啟了陳唐體制的「左右共治」（cohabitation）之短暫時期，雖有論者對於該時期究竟是否屬於左右共治確實有爭議，但不可諱言之處在於，當時的唐飛確實具有國民黨黨籍，但陳水扁向唐飛的邀請並非公開且正式的，因此國民黨內部對於唐飛任行政院院長的齟齬甚多，也不想為其任職提出政治上的保證。雖然如此，對於未獲民意過半支持的陳水扁來說，任用非民進黨黨籍的唐飛，算是折衷且避免憲政激烈衝突的辦法。後唐飛因核四爭議和陳水扁總統理念不合而掛冠求去，民進黨籍張俊雄接任閣揆，亦讓當時短暫左右共治的情形轉為少數政府的態樣。

當然，吾輩僅能針對歷史的發展做一回顧與探討，但如果從選制上來看，當時若採絕對多數的方式，或效法國半總統制的兩輪選舉，則陳水扁先生是否能突破重圍成為總統，則將畫上一個大大的問號。又或者從另一個角度來看，雖然這樣的選制與原本繼受的法國選舉制度有所不同，但在兩大主要政黨都曾全面執政卻也無意改變的情況下，似乎也間接證實了這樣的選制對於政黨而言，所帶來的利益確實比較能夠被「預期」。再者，當在野黨成為執政黨後，卻也不欲就此問題繼續深入提出修正方案，如將這樣的情況反推到修改憲政體制的議題上，卻似乎也能得到相同的推論結果。

事實上，絕對多數與相對多數的討論，一直以來也是政治、法律界所熱衷討論的議題之一，但回到人性層面做探討，對於政治人物來說，「贏一票也是贏」的方式，會相較絕對多數決來的更為直接，也更能在政治布局上予以應用之。也因為如此，對於選制及憲政體制修正的思考，多半是在野黨在非執政時期所提出的，但當其重新掌握政權、主客易位之後，卻未能將其在在野時期提出的攻訐

點加以落實、修正，而是以各種理由推諉塞責，而不將當初批評的論點挾多數優勢做出改變，或許這也能夠印證為什麼許多民眾並不信任政治人物的理由。

四、總統權力在實然面與應然面的運用

中華民國憲法本文原先所規劃的路線，是依據張君勱先生起草的《中華民國憲法》，以修正式內閣制為本，將孫中山先生的五權憲法概念落實於其中。但歷史因素帶來的衝擊與變化甚鉅，使得增修條文又強化了民意對於總統賦權的情形，加上取消立法院對於閣揆任命同意權的限制，使得總統能隨己意任命行政院院長。雖然如前所述，在少數政府時期，確實需要考量立法權可能產生的制衡效果，但也有機會像前文所述，陳水扁總統到後來仍得以任命民進黨籍的行政院院長般，而使政策的施行更不受立法權的框架限制。

雖然在憲法本文及增修條文中，對於總統的權力及責任都有明文規定，且以民選總統的概念作思考，事實上也需要同時承擔政治上的責任與考量，畢竟政黨政治並非帝制時期般，一人任總統（元首），則天下權力盡入手中。倘若各縣市首長加上立法院多數與總統政治立場相左，政令是否能出總統府或被地方首長接受，都是一個值得深思的問題。

但反觀現今的政黨政治與孫中山先生所期許的良性政黨競爭做比較，似乎更多的是惡性的口誅筆伐，而非實質針對政見進行攻防，思考何者較能增進國家利益。舉例來說，如果各政黨於在野時都認為總統的權力過大，需要從根本上做出調整，或是重新修正憲政體制，而讓行政院院長掌握實權（或轉型成議會內閣制），為最

能修正此一爭議的方式。但兩大黨都曾全面執政且亦發生數次政黨輪替後，兩大黨從在野黨時的批評，到重新獲得政權成為執政黨時的默不吭聲，其主要原因仍是從政黨己身的利益出發，而忽略了政策的實施應先以民眾利益最大化為主要思考。此一政黨政治的輪替態樣，並非良性的政黨競爭，而是讓選舉成為實現利益最大化的一種工具。

再譬如說，有論者認為台灣總統的權力「非常大」，需要有效的制衡或限縮。但這樣的觀點是跟半總統制下的總統做比較？或是總統制下的總統？還是議會內閣制中的閣揆或元首？倘若將法國總統所具有的核彈發射權與台灣總統的權力作對照，似乎核彈的發射權所能影響的區域、範圍，以及對於他國的攻擊性更強、更廣，那麼在這樣的情況下，總統的權力真的「很大」嗎[4]？

縱使總統權力的「大」或「小」迄今並沒有一套完整的定義標準，但對於人民而言，執政者的權力大小或許不是主要選舉考量的依據，而是如何能夠把民眾的福祉擺在第一，讓全體國民都能享受到當初賦權（empower）所帶來的利益與好處。而這也是孫中山先生當初在看到清朝經歷制度與器物變革雙雙失敗的情況下，正視到唯有重塑一套特屬於中國發展的制度系統，且能隨著時代、國情的不同而與時俱進的修正。更重要的是，依據當時孫中山先生的理解與判斷，縱使是國力強盛的英美等列強長期發展民主制度後，民權仍限縮在選舉權的弔詭情形，確實讓人懷疑所謂的西方民權框架，是否能夠適用於每一個國家之中。

也因為如此，吾輩在考量民權的概念時，應「借鑑」歐美發展的經驗，並非是全然的「仿效」。雖然現今的選舉權、罷免權的使用，似乎已逐漸成熟且能被人民所知，但又有多少的民眾會去「閱

讀」選舉或罷免公報？又或者是將過去政治人物競選時，所端出的「選舉牛肉（紅利）」，一一盤點在其上任之後是否實現？更遑論報章雜誌常謂總統與行政院院長權責不符的標題，也讓民眾開始反思，當人民有權選舉總統之後，為何總是行政院院長承擔行政（或政治）責任而下台，但原先憑藉多數民意上台的總統，卻能安然自若地繼續做完後續任期？

雖然不得不承認之處在於，現行總統的確能夠依靠大政方針以及閣揆的任命權，來試圖擴張權力，但這些所謂的「權力」，都是憲法本文或增修條文內所明文規定的。另一方面，以半總統制的定義做思考，能夠發現總統原本具有的行政權，事實上是被分割的，也就是總統與行政院院長都有在憲法規定中，被賦予行使的「行政權」，但如何能夠讓「使用者」恪守分際而不逾越法律規範，又將取決於政治人物的智慧及慾望的自我限制了。

五、當開啟政治權力的潘朵拉盒子之後？

在孫中山先生民權主義第一講中，將政治定義成「管理眾人的事」、有管理眾人之事的力量叫做「政權」、以人民管理政事叫做「民權」。然揆諸現今政治人物有多少人是為了百姓而做事？又或者是僅在選舉前夕才開始對著鄉親喊到「阿伯、阿姨」懇請惠賜一票的情形？但在選舉勝選後，所謂的「服務處」便只剩下聯絡人員，最常看到民意代表的地方，反倒是在政論節目上看到本人的「可能」，遠大於代議士親自在服務處服務的「機率」。民意代表如此，政府高官又如何？

當初孫中山先生便已看到這個問題，在其《民權主義第六講》亦提到歐美的代議政體，其實只是選舉權與被選舉權之間的「議會

政治」。也因為如此，就其所論，理想的狀況應為，當國民為國家主人，便為有權的人；政府是專門家，則為有能的人。有能的人應該為全民做事，讓其才能得以發揮，才能促成國家的長治久安。但反觀現今台灣的政治氛圍，又有凡幾是真正秉持著「替人民服務」的精神而成為政治上的「專門家」？

其次，在《民權主義》第一講到第六講中，孫中山先生也提出了不需過於崇洋媚外，而是應該要考量到中國自身的發展路徑以及風土民情，從根本上形塑出特屬於己身的政治模式。倘若如此，自解嚴以來，台灣憲政運作並未發生足以所謂「撼動體制」的事件，假設這些被人民所斥責的事情，都能透過內化的方式進行調整、修正，又為什麼要提出憲政體制的直接轉換？進而導致社會增加支出的成本、或是讓整體運作更為困難？對於吾輩而言，如果半總統制在台灣確實有著窒礙難行的困境，那麼就將其完整的說明給民眾知悉、了解，並且提出有效的解決方案。

除此之外，也需要將解決方案做妥善、全面的分析，使人民理解並達成實質的共識。遺憾的是，直至今日從小到大的「公民與社會」相關課程，對於所謂的憲政體制並沒有多做介紹[5]，民眾對於政治的態度也是漠不關心，甚至有些排斥接觸政治。然若如此，卻很少看到人們探討背後的主要原因是什麼？或許是政黨之間的惡鬥令民眾心寒，也或是如孫中山先生所述，中華文化長期以來認為是大本領的人才可做皇帝。倘若如此，作為領導人所肩負的責任也的確更大。

英國阿克頓爵士（Lord Acton）曾謂：「權力使人腐化、絕對的權力使人絕對的腐化」（Power tends to corrupt, and absolute power corrupts absolutely），當有權力的人不願意謙

卑，則政治便僅剩下「管理眾人的事」，而把「以人民管理政事」的特性撤除，這樣的思考對民眾而言，將造成怎樣的影響？人民對於政治人物的信任會存在嗎？特別是在承擔了全體國民託付（期許）的總統身上，倘若心心念念想的不是人民的利益，而是政黨或個人的利益，則未來的台灣又該如何前行？

或許不是現有總統的權力有多大，而是總統願不願意恪遵憲法規範，讓己身不受政治利益帶來的誘惑影響；或許不是憲政體制應該被修正，而是政治人物願不願意遵守憲法規範的「遊戲規則」；或許不是人民對政治「無感」，而是政客的貪汙腐敗，讓人民失去了當初支持國父革命的熱情及動力；或許不是中山思想過時了，而是政客知道中山思想會衝擊到既有可得的利益，而不再多有著墨。

從歷史的角度回顧，也能發現當初孫中山在總統制與內閣制的選擇上，確實是搖擺不定的，從當初國民黨黨內對孫中山、宋教仁在憲政體制各有偏好的情況觀之，亦能反應出對於當時的中國而言，無論選擇何種憲政體制，都仍擺脫不了傳統政治文化的影響（如專制、帝制、地域、派系等）。故在此基礎上所做出的選擇，都是需要一段時間，從運作中逐漸形塑出適合中國的憲政體制。但也正因為憲政體制與國情的關聯性甚強，諸君可見總統制在拉丁美洲、中東的實踐，卻逐漸失去了民主的精神而成為獨裁專制的「總統制」國家，如從最近的國際政治反思憲政體制，或許也能看到川普領政下，所謂「民主」的總統制，似乎變成了其他國家的笑柄。

最後，作者想以李寶嘉《官場現形記》第六十回的「苦辣甜酸遍嘗滋味、嬉笑怒罵皆為文章」作結，並與文章開頭的提詞做一呼應。或許部分讀者並不認同作者的觀點，但「晝長苦夜短，何不秉燭遊」？當然，你我皆非投身政治的「專門家」，笑笑看過政治人物的一舉一動，轉念來看，應有不同的體會與感悟。

註釋：

1 另一種憲政運作方式為瑞士的委員制，但採用此種憲政體制的國家相對其他系統而言，仍屬極少數，故於文獻討論中多將其視為個案作探討，而非實際作為轉換的首要選擇。

2 如在半總統制下仍依行政首長所掌握權力大小區分成總理總統制（premier-presidentialism）與總統議會制（president-parliamentarism）等主要類型。

3 於撰寫此文時，正遇到法國總統大選，勒龐（Marine Le Pen）與馬克宏（Emmanuel Macron）

兩次的交手，確實說明了如內文中，提到相對多數決對於最終總統的產生而言，會有過半民意支持的結果，而這也讓當選者在後續執政過程中，有著更為厚實的民意基礎。誠然，這樣的方式雖然比絕對多數決來的更能展現民意的向背，但實際上如若選舉結果極其接近，也能說明當選人仍有將近一半的民眾不認同其執政的例外情形。

4 較直接的概念在於，許多國家的領導人都有一個「手提箱」，當發射核彈時，需要確認是行政首長本人才可授權發射。也因為如此，行政首長所特有的密碼，似乎也說明了該行政首長所具有的自主權，較為明顯且獨特，但如以此做思考，雖中華民國憲法第三十八條賦予總統宣戰之權力，然實際在戰場上運籌帷幄的並非是總統本人，而是以參謀總長等軍職人員做為決策單位。

5 誠然，公民課、公民與社會等科目確實有帶到憲政體制的概念，但從授課時數、課程大綱中，也能發現對授課教師來說，因時數與學術背景的限制，常導致許多觀念不若政治學、法律學背景的教師，能在課堂短短的時間內，將全部概念講述明確且全面，較深入的討論，就留待本書另一篇文章續作探討，於此就不再贅述。

台灣的抉擇 ❸ —— 人民有權？政府有能？

孫中山民權說借鏡瑞士直接民權經驗
——以創制、複決為例

朱文輝

> 月落烏啼霜滿天，
> 江楓漁火對愁眠。
> 姑蘇城外寒山寺，
> 夜半鐘聲到客船。
>
> ——唐 張繼，〈楓橋夜泊〉

一、前言

　　2022年5月下旬，美國德州小鎮發生駭人聽聞槍擊事件，一名十八歲年輕人闖入國小校園，槍殺十九名學童及兩位老師，全美震驚。類似槍械駁火，每年都發生，在全美各地輪流上演，美國的民主人權真的淪喪到令人驚恐地步，人人生畏，夜夜驚魂。孫中山的民權主義，爭的就是人人平等，除了參政權的保障，不就是免於恐懼的自由？生命安全都顧不了，高談人權有何意義？美國憲法保障人生而平等大概無法實現，民權思想在號稱全球第一民主國家已不可能落實。但在大西洋彼岸的瑞士卻是另類經驗，可為借鏡。瑞士人民可謂人人有槍，家中均備有槍枝，惟受法律嚴格限制，不得任意移動，遑論端出來對人掃射。本文並非比較美—瑞兩國槍枝管制政策，或探討何以在美經常濫用槍枝而在瑞卻未見此景。1924年孫中山談三民主義曾強調，一次大戰後全世界僅瑞士及美國數州實施直接人權，尤其創制、複決權之外，罷官權在美國數州做得不錯，

像克里夫蘭就是很好的例子。孫中山所論民權主義固為各方熟知代議政體，但述及直接民權顯然曾參考瑞士經驗，瑞士如何規範直接民權才是本文探討核心部分。

瑞士這個土地面積不大（四萬一千兩百八十五平方公里；人口八百八十六萬二千九百零三人／2022年5月17日瑞士官方統計）、缺乏天然資源的蕞爾小國，卻有個廉能的聯邦政府，百姓有的是賺錢機會。2018年國民名目平均所得為八萬三千五百八十美元（2020平均每人的國民生產毛額為八萬一千七百五十八瑞郎，約折合新台幣二百四十五萬二千七百四十元），國人出得去、外人不分種族膚色貴賤也進得來，思想及言論沒有忌諱（但嚴禁宣揚納粹主義及種族宗教歧視，也不准散播任何色彩的仇恨種子）；貨暢其流，各類商品自由進出貿易，社會與政治穩定，山明水秀，重視生態環保，堪稱當今舉世滔滔不安之中的世外桃源。常言道，羅馬並非一天造成的，這片在外人印象中處處湖光山色、草青野綠、國泰民安的仿若仙境之地，並非一蹴可幾。

瑞士的地理環境是由阿爾卑斯群山群脈構成，其祖先是高地原住民黑爾維奇雅族（Helvetia）。由於地處歐洲心臟位置，其北邊與德國、西面與法國接壤，南鄰義大利。公元五世紀開始，這三個地區的人便逐漸向這塊山區移民過來，遂由德（日耳曼人）、法（布根地人）、義（倫巴底人）三種語系的民族構成了一個生命共同體。這個生命共同體擁有三種語言，加上本地原有的方言土語列托羅曼語（Rätoromanisch），合為瑞士四大官方語言。

瑞士傳說中（也就是德國大文豪席勒〔Friedrich Schiller〕筆下創作）的民族英雄人物威廉泰爾（Wihelm Tell）因為不服奧地利哈布斯堡王朝（Habsburg）派駐的行政長官葛斯勒（Gessler）暴政統治，憤而率領群眾揭竿而起。1291年由史衛慈（Schwyz）、烏

理（Uri）及尼瓦爾登（Niwalden）三個邦區結盟共同對抗哈布斯堡王朝，不接受「外來判官」的治理，這是瑞士建國的起源，亦是瑞士獨立自主的傳統思想依據。

雖然同時存在著四種民族、四種官方語言（2022年瑞士官方統計為：德語約占62.3%，法語22.8%，義語8.0%，列托羅曼語0.5%；其他外語由2000年的8.5%大幅暴增至23.1%），但瑞士自古以來各個族群不忘先祖輩移民來時篳路藍縷以啟山林的貧乏與窮困，它們胼手胝足，打拼未來，勤儉興家，世代傳承，由溫飽而小康而富裕，融洽相處，和平共存，全國二十六個邦（其中二十三個是全邦，六個是半邦）恪尊聯邦憲法為最高治國綱領，朝野努力在各邦政府的分治之下，依循自己的邦憲法自治發展。一般言之，瑞士國民（包括久居此地的多數外籍移民）勤奮儉樸，敬業克己，謹言慎行，凡事如履薄冰，處處與人為善，故而生活富足，在穩定的社會環境之下民性相對理智，富而好禮，同時多抱有居安思危、未雨綢繆的憂患意識，處太平安樂之日，不忘困頓匱乏之時，把整個生存的大環境視為命運共同體，雖也政黨眾多，理念難免分歧，然而基本上皆有一心一德同為這塊土地效命打拼的認知與共識。

二、瑞士的政府結構與政治制度

瑞士是採聯邦制，全國二十六個邦區（Canton, Kanton）充分實施地方自治，各有自己的邦憲法，各邦的行政、立法、司法及財稅完全獨立自主，但所有施政均不得牴觸聯邦憲法的條文內容與基本精神。

聯邦政府（即中央政府）採集體聯合領導班子的形式，稱作「聯邦執政委員會」（Bundesrat, The Swiss Federal Council），共有七名聯合執政委員（Councillor），由四個重要

的政黨依地區、語言及人口多寡採2、2、2、1席的比例分配代表制，每位執政委員主掌一個部，七部聯合起來就是國家的最高執政機關，相當於一般國家的內閣，但是並沒有閣揆之設，而是七位一體，任何國家大政，上至國防外交，下至財稅經貿、民政建教、交通能源、司法文化等等，均分由這七位執政委員（即部長）負責。多年以來的席位分配傳統是「瑞士國民黨」（SVP）二席、「社會民主黨」（SP）二席、「自由民主黨」（FDP）二席、「基督民主黨」（CVP）一席；然而如今（2022年）情況已略有改變，亦即：SVP二席，SP二席，FDP二席，CVP之一席由中庸黨（Mitte）所取代。這七名執政委員基本上並無任期的限制，一般而言，都是大約做滿十年上下便自動宣告請辭讓賢（有少數是因為健康或其他家庭因素而提早辭職），遇缺由聯邦國會兩院（即二百席代表全國公民的「國民院」以及四十六席代表二十個全邦與六個半邦的「邦區院」）就現任國會議員中補選。當然，任何一位瑞士公民也都具備參選的資格，各邦級政府的官員亦可主動或接受黨的徵召而參與競逐，惟在實際運作慣例上接受提名者，多為國會兩院現任議員。各黨各派均可同時推出自認為合宜的代表人選，且均在事前經各黨派各陣營相互溝通，妥協產生公認可以接受的人選之後，才擺上檯面在國會殿堂公開投票決定。依照不成文的慣例，出缺補選的執政委員，多由出缺那個政黨所推的候選人接任，以保持政黨比例代表的制度傳統，這個制度在瑞士習稱為「魔妙配方」（Zauberformel, The magic formula）。

七名聯邦政府的聯合執政委員每週固定一日舉行閉門聯席會議（一般都在星期三上午，國會開議期間則於週五），討論國政及國防外交大事，他們必須完全拋開個人利益以及所屬政黨意識形態之私，立場完全超然地以瑞士這個國家整體大局和利益為念去釐定

國泰民安的施政方針，而且必須同時獲得七位委員的共識決議，該決策始稱通過。這個閉門討論或激辯的決策過程與發言，不對外公開，事後只宣布結果，並將決策內容公諸於國會、各級地方政府、媒體及民間團體；在任何的公開場合，他們的發言必須戰競審慎，一致代表政府決策的立場，不可偏向自己所屬的政黨或為自己的政黨理念做宣傳，更遑論利用自己身為國家高層職位之便來隨意酸言或攻訐任何與其理念不合的政黨或政團、組織，若有違犯，勢必引起全國朝野各界（如媒體、民意、社團組織等）的齊聲討伐，嚴厲譴責。

依照上述的民主精神與原則，即便瑞士各個不同理念的政黨在國會殿堂上各為己方理念激辯爭執不休，或合縱或連橫，沸沸揚揚，七名執政委員還是必須堅持他們該扮演的中立角色，不得任意表態做出與政府決策相左的發言。例如「瑞士國民黨」一向主張反對加入歐盟及大幅度限制外來移民的人數，但聯邦政府七名執政委員既已相互溝通歐盟所提的折衷妥協方案，達成解決困境的內部共識，要以時間換取空間，在某種條件之下勉予接受某些談判條件或建議，逐步與對方磨合，以最佳的方式推動兩方的雙贏共利。在這個節骨眼上，代表「瑞士國民黨」的兩名執政委員便不得在公開場合發言表示認同自己政黨主張的措施而不予接受政府的政策。這與當前台灣執政黨否定人民公投通過反廢核等案之民意並公然逆向帶頭鼓譟某些極端陣營的群眾走上街頭，大唱反調的違反民主做法迥然相異！

聯邦政府也於七名執政委員之下設置一名行政執行長（稱作Kanzler，相當於我國的行政院秘書長），主要的任務乃在從事府會之間的協調聯繫，對外宣布及推動聯邦執政委員的政策與決議，

使之順利運作。這名執行長又被泛稱為「第八執政委員或第八部長」，可以參加每週的執政委員聯席會議，但是沒有投票決議權。

至於國家元首，也就是瑞士的聯邦總統，乃由這七名執政委員逐年輪值擔任，對外代表國家，僅為虛位，並沒有實權，對內則於每週的執政委員聯席會議上擔任主席。一年到期之後，依序由副總統輪替，如此循環輪班，有些委員甚至可以在其任內當上兩輪總統。

根據2019年最新資料顯示，瑞士執政委員的稅前年薪為四十八萬一千四百一十七瑞郎（約折合新台幣一千四百四十四萬二千五百一十元，亦即月薪一百二十萬三千五百四十元之譜），至少做滿四年一任的任期退職（自己請辭或是沒再被選連任），不管其年齡大小或是否屆齡退休，其後每年可領到二十二萬五千七百零八元瑞郎的退休金（約折合新台幣六百七十七萬一千二百四十元，即月領二十二萬五千餘元）。他們並無配有公家官邸，一般都是在首都伯恩租屋而住或通勤，也沒有租房津貼，房租完全自理，但每年發有瑞士國鐵全年全國通用的頭等車廂年票一張（退職或退休之後終身發給）；雖配有安全官，但幾乎不用，因此老百姓不時看見他們或步行、或搭乘公共交通工具甚至騎腳踏車上班。此外，政府配給每位委員兩部帶有司機服務的轎車，一部為S級賓士，專為對外代表身分之用，另一部則較為普通的Tesla S 電動車。兩部轎車都可用之於公務及私家出行，惟於私下出行時，若離開瑞士國境到鄰國，司機的服務費用須由委員自行負擔，在瑞士國境內則由公家買單。另外，委員們還配發加密的手機，退休之後也終身配發，通信費用（包括自宅的座機、電視、上網等）均由國家支付。委員們退休之後，多數都還可以出任民間大企業的董事長或高級顧問，但他們不在其位，不謀其政，不會再為國家政治大事置喙一言，胡亂參與攪局。

由於瑞士政府依照政黨、地域、語言之席位比例分配而實行聯合執政，且採共識決議，故得以大大消弭政爭與國家資源分配不均的弊端，特權、官二代、政二代、權二代及裙帶關係是無法見容於這個國家的。

三、全民公投形式的直接民權與直接民主機制

2014年5月18日瑞士全國舉行一項名之為「法定最低工資」的公投，是2012年由瑞士全國工總所發動提出的創制案（在法定的十八個月期間內，一共得徵集超出法定十萬多的分聯署簽名）。該案一方面要求聯邦政府與各邦政府對勞工所得提供保障，督導勞資雙方所訂的薪資集體合約明定最低薪資標準；另一方面，要求以立法形式規定全國每小時二十二瑞郎的最低工資。

其主要的訴求定位於：唯有公平合理的工資，始能讓人的日子過得像個樣子。當時瑞士人口八百餘萬人，是全球最富有安和的國家之一，這個國家的財富，是由全體勞工共同創造的。然而，約有近十分之一的勞工每小時的工資還不到二十二瑞郎（約折合台幣六百六十元），也就是每月不到四千瑞郎（即台幣十二萬元）。換言之，有三十三萬辛勤的勞工是低薪收入者，這對於號稱富裕的瑞士來說，是件丟臉的醜事。低薪所涵蓋的職業很多，從鞋子售貨員、到機艙服務員乃至園藝匠，不一而定。發起全國各行各業統一規定最低工資為四千瑞郎，此舉一方面可以預防大量湧入的外勞造成傾銷低廉工資現象；另一方面則可防止瑞士企業之間的低價惡性競爭，甚至遏阻某些唯利是圖的投機商人，以壓低員工所得的手法來增進其個人利潤等等不公平不合理現象。該項公投案如獲通過，便出現各方皆贏的局面，規矩支薪的業主就不用擔心同業之間的惡

性競爭，納稅人也不用再多付稅金去支持救濟低收入者的社會福利，低收入的人也可以過個起碼像樣的日子。由於人民的購買力增強了，便有益於經濟發展。這項公投需要在投票公民和各邦贊成票都同時過半，始算通過。

發起這項創制公投案共有：瑞士全國工總、瑞士工會並包括交通從業人員工會、公營事業員工工會、媒體暨傳訊業工會、瑞士聯邦政府各機構員工工會在內共計四十個協會團體與民間組織，另有瑞士黨、政、教、民意代表及文化界知名人士二十七人，由這兩股洪流共同組成「最低保障工資公投案委員會」來推動其事。

打自2012年該案成案開始，其間歷經了無數次理念公開宣傳與大眾說服的過程，再經聯邦行政部門的研議和對策說明之提出，卒經聯邦國會上下兩議院的審議討論。兩年的期間之內，各說各話，各自針對全國各界進行有利於己方的公聽、說理與宣傳，更在媒體上從事相關議題的辯論，過程平和而理性，端的是公說公有理、婆說婆有理，公民們個個都心裡有數，屆時神聖的一票究竟應該投落於何方。他們沒人上街胡鬧，沒有強硬要求政府或國會必須聽命於誰、必須如何如何做，不然便要如何又如何，大耍威迫爛賴的花招。在各媒體的讀者討論中，見到是正反兩面理性表述的就事論事，沒有台式民粹的濫情理盲謾罵。

瑞士聯邦政府站在扮演施政角色的立場，當然希望在經濟發展上能有亮麗的成績，所以經濟部長眼中看到的是：四千瑞郎的最低月薪肯定會增加多數業主的成本，不利基礎較弱或偏僻山鄉地區產業的維存與發展，更會造成年輕人潛在的懶散依賴心理，各行各業為了降低成本，只好忍痛裁員，導致失業及勞工就業市場的緊張局勢。他引德國勞工部長之言表示，四千瑞郎的統一最低工資在歐盟所有國家當中乃屬偏高。

聯邦國會上議院（即邦區代表院） 於2013年9月24日審議後，經表決以類同於聯邦政府觀點的過半數票表示反對該案，呼籲公民不要支持該案；下議院（即國民代表院）亦於同年12月11日審議表示反對該案。公投的結果是，超七成投票者以反對票否決了該項創制公投案。

再舉第二例觀察，2016年6月也舉行了一項由知識分子團體所提出的政府無條件每月發給每位瑞士公民二千五百瑞士法郎的基本收入（約折合新台幣7七萬五千元）創制案，其目的在解決就業和收入之間巨大差異的矛盾；換言之，即使不用勞動工作，也能保障有固定的收入來維持基本像樣的生活。公投的結果，理性的瑞士人還是在慎思國家整體經濟發展的大環境利弊考量之下，回應府會反對該案的呼籲，做出理智的決定，否決了該創制公投案。

第三例是於2012年3月11日舉行「六週帶薪休假之全民創制案公投」。

創制案之背景：瑞士全國總工會（Travail Suisse）以及其他左派政黨認為當時瑞士職場工作壓力日重，受薪階級就國際比較層面觀之，每週工作時數遙遙領先世界各國，身心負荷俱增，往往造成醫療健保之財務負擔。為提升工作效率及促進受薪人之健康，乃在現有法律規定全國職工每年享有四週帶薪休假之基礎上（五十歲以下者享有四週，五十歲以上者五週，六十歲以上者六週），修法再增加為不分年齡一律享有六週帶薪休假。

反對者之立場：此一提案遭到瑞士中產階級各黨派及產業界反對，他們認為此舉無異讓瑞士一向偏高之工商成本雪上添霜，認為可能導致瑞士產品失去競爭力之虞。渠等估計，每增加一週之帶薪休假，瑞士工商界將增加六十至七十億瑞郎（約折合新台幣

一千八百至二千一百億元）之成本；工會組織方則認為，若該案經公投通過，以每名受薪者每月平均工資四千五百瑞郎計，資方每日每名勞工僅需多付擔五瑞郎，即每月一百瑞郎。反對支持此一議案者進一步認為，增加休假週數，將逼使業者採取增加員工勞動量之措施，以求工作進度不受影響，如此，更將導致受薪者之身心壓力。有鑒於此，瑞士聯邦政府及國會均採取反對此案通過之態度。

公投之結果：以66.5%反對票對33.5%贊成票之比例否決此一提案。由此足見瑞士國民之遠見與睿智。按過去瑞士亦曾舉辦多次類似之公投案（增加休假日數或減少工作時數等），均遭公民以大局為重予以否決；唯有公投將每年8月1日瑞士國慶日定為帶薪放假一案獲得全民共識而通過。

四、瑞士公投必走的程序

瑞士是個實行聯邦制的武裝中立國家，同時也是個地方自治施行得十分徹底的國家，尤以直接民主（民權）馳名於世。國家大小事都可透過公投來決定。

瑞士的公投共有兩大類型：一是創制案公投，另一是複決案公投。

（一）創制案（Iniative）公投

創制案分為：由民間發起的創制案以及由國會推動發起的議案。

1.由民間發起的立法或修法創制案

凡涉及增刪或修訂憲法不再適合時宜的條文，在野的人士或政黨、社團均有權在法定的十八個月期限之內收集十萬分以上的聯署簽名，經公證確認有效的程序送交國會相關主管單位審核成案。該

案所提的具體內容（修憲條文）經聯邦國會審議後，必須交由全國公民投票決定是否採行。如果國會另有更好的意見，也可以反對民間版而自行提出國會的對案版，兩案併列，交由公投決定。

聯邦國會在審查該修法創制案的內容時，若發現有與某條國際法內涵及精神相牴觸，致令瑞士在外交及國際公法之運作出現窒礙難行之情況者，國會得以否決，使之不能成案。

此外，凡涉及全國（聯邦）法律層面者，不得以創制案之方式提出修改。

2.由國會發起的立法或修法創制案

凡涉及增刪或修訂憲法不再適合時宜的條文或法律內容，乃至釐訂新的法律，聯邦國會內的相關委員會或黨團，均可提出議案交付討論及辯論，獲得兩院通過後，即成國會創制案。

（二）複決性公投（Referendum）

也就是公民一旦不同意政府或國會提出的議案或法案時，他們擁有最後表示態度的話語權，這個話語權便是複決性公投。分成兩類：

1.強制性複決公投（Obligatorisches Referendum）

強制性複決公投包括政府對外簽署的任何國際條約或是修憲案，事後有義務付諸全民公決。有關修憲之公投票數，必須同時獲得半數以上公民票以及全國二十六個邦過半數邦之通過，始算有效。

按瑞士政府對外所簽署之條約或協定，與聯邦國會之互動程序為：

（1）依據瑞士現行聯邦憲法第一八四條第二款及聯邦國會法第二十四條第二款之規定，聯邦政府與外國所簽署之條約應送交國會批准；國會則僅能針對該條約或協定作出通過或否決之決議，無權修改條約或協定之條文內容。至於批准通過之要件，必須上下兩院同時贊成，如有一院表示反對，則再進行第二回合之議決，其中任何一院再有過半數持反對意見，則該對外所簽署之條約或協定即屬無效。

（2）聯邦國會兩院一致通過該項條約或協定後，依據聯邦憲法第二十四條第二款之規定，即可批准政府行政部門對外所簽署之約文生效。但在此之前，該條約必須依法交由全國全民公投表決。

（3）聯邦國會兩院一致通過該項條約或協定後，依據聯邦憲法第二十四條第二款之規定，即可批准政府行政部門對外所簽署之約文生效。但在此之前，該條約必須依法交由全國全民公投表決。

2.任選性複決公投（Fakultatives Referendum）

國會立法或修法，或擬與外國簽署十五年以上之國際條約時，無須主動提交全民公投表決即算有效；但若老百姓不表同意該法案或對外條約的內容，有權於事後一百天之內如期蒐集到五萬分法定的聯署簽名，進行全民複決公投。換言之，人民擁有立法或修法案的最後決定權。與複決修憲或對外簽署國際約不同之處為，公投之結果只要過半數公民票通過即算有效。

另外，聯邦政府決定的施政方案或決議，只要不涉及修憲或國際條約，老百姓亦可依法選擇決定是否進行複決公投。例如近些年

來聯邦政府的購買戰機案，瑞士過去曾幾度公投表決採購新戰機，其中1993年決定採購美製F／A-18戰機（獲得57%民意贊成而通過）與2014年否決採購瑞典紳寶公司獅鷲戰機。2014年的複決公投案是在決定是否以二十二架「獅鷲」汰換當時31架F／A-18C／D以及五十三架F-5E／F已逐漸老舊戰機，但遭53.8%選民反對。

2019年聯邦政府又提出購買戰機的決議案。但鑑於過去複決公投失敗的經驗，這次政府改變了策略，不再打出屬意選購哪國哪家公司的產品為訴求，而是決定以六十億瑞郎採購三十架新型先進戰機，先爭取人民手中一票的認同，循序漸進，以求沉穩達到目的。

瑞士政府軍購必須經過人民同意的作法，與民進黨政府獨斷獨行說了算、決意花費二十二億美金購買美國武器藉以挑戰中國大陸的做法，誰民主？誰威權專制？一目了然，不言自明。

五、瑞士的國防與外交政策

瑞士的外交政策是以其聯邦憲法所揭櫫的維護國家中立並以人道濟世為依歸。該憲法第三編第二章第一節第五十四條明確規定：維護瑞士獨立自主及國家福祉，要積極協助全球各地區除貧脫困、保障人權促進民主、與全人類和平共存、力保自然生存條件不受破壞。此外，廣結善緣、重視多邊發展亦列為其外交上的指導原則。

貫徹落實瑞士外交政策的工具有三：一是，獲得國際正式認證的永久中立地位；二是，支援人道外交的各種人道濟助措施，例如扶貧脫貧行動計畫、災難救援、大力支持國際紅十字會以及擁有七十五年悠久歷史的人道募款援助組織「幸運鏈」（Glückskette，所募善款迄至2019年已累計高達十八億瑞郎）等；三是，在國際社會的人道立法方面竭盡所能協助相關方案之研擬、設計與推動落實。

就政治層面觀之，替某些國家在國際爭端上提供斡旋調停的最佳服務（例如交叉代理美國在伊朗、以及伊朗在美國的利益並為雙方斡旋）亦是外交工作的重點方向之一。

當前瑞士本身最大的外交課題就是妥善處理與歐盟的關係。由於其憲法規定瑞士必須嚴守中立的國策，因此雖然勉強於2002年經過公投而加入了聯合國，但是經常也因為聯合國大會某些涉及制裁某國的決議案時，會讓瑞士陷於矛盾的糾結與掙扎之中。此外，軍品裝備的出口（尤其對軍事緊張衝突地區）以及接收難民的多寡等，也是國內朝野經常引為爭吵與辯論的火爆議題。

至於瑞士的國防最高指導原則，乃是以精實強兵政策來當作維持國家永久中立地位的堅實靠山，其國防預算占國內生產毛額約0.7%，較諸其他國家相對不高。由於國小民寡，無法像其他國家那般大量購置武器或投入天文數字的經費從事這方面的研發與製造，瑞士憑藉其地處阿爾卑斯山脈天險的有利環境，易守難攻，加上自己特有的全民皆兵民兵制（Milizsystem），凡年紀達到十九至二十四歲的役齡男子（其實十八歲時就接受身家調查），初次完成十八週入伍訓練之後（得以自行決定幾歲入伍），便帶著部隊發給的軍事裝備（鋼盔、自動步槍、軍服軍鞋等物品）解甲回到民間各就各業，以後每年接受教育召集二至三天（視同役期），攜著同樣的裝備自動歸隊報到，一直到年滿三十歲除役為止，累計總召集的天數就是一般普通兵役的義務役期二百四十五天。其他軍官層級的役期各有不同，但都較長。女性公民也可以服志願役；全國的職業軍人僅占5%；現役常備兵力保持在四萬人左右，若有戰事或緊急狀況發生，可在四十八小時之內透過民兵動員系統，立刻召集三十五萬兵力投入保國衛民的戰鬥行列。

徵召入伍的程序是：凡年滿十八週歲的男性青年必須到所屬居住區的徵兵處報名並體檢，合格者十九週歲入伍。自2001年開始，役男也可以在完成入伍訓練之同時，緊接著把未來接受教育召集的義務在十個月之內一口氣服完，之後編入常備兵之列，為期十年，稱之為「一次役」（Durchdiener）。每梯次的一次役常備兵額限定為15%。

瑞士周密的民兵及民防體系，以居安思危為指導原則，近似中國孫子兵法裡「無恃其不來，恃吾有以待也；無恃其不攻，恃吾有所不可攻也」的概念，彌補了常規兵力的不足，不但動員能力快速靈活，更輔之以自然的天險，足以更進一步強固國防，這也正是二次世界大戰期間希特勒曾有意強取瑞士而最後卻打消此一企圖的原因。

總而言之，瑞士的國防是與外交互為表裡、結為一體的。他們以和為貴，廣結善緣，不主動挑釁外國任何一方勢力，這與當下在台灣的政府只為一己一黨之私動輒故意激怒、挑釁中國大陸，藉以爭取分離主義勢力選票，把國家社會及人民帶向戰爭風險之境的作法，完全是南轅北轍、一點也不負責任的態度。未來台灣若能政黨輪替，新的領導人物應可考慮借鏡瑞士，以發揚和平為己任，敦鄰結緣，與人為善，在穩定的環境中積極發揮台灣的潛能，在中國大陸與西方之間擔任起溝通的橋樑角色，豈不善哉！

六、結論

展望2024年台灣大選勝出的新領導人不管屬於哪個政黨或何方勢力，都必須勇敢地以新思維、新方向衝出幾十年來被顏色所綁架的意識型態藩籬，絕對不能再有黨派包袱的壓力，要徹底擺脫個人以及一黨的私利私心，以天下為公，以民為主，而不是高官及民意

代表高高在上，挾民主為奪權專政的工具利器，務必以無欲則剛的決心與魄力，不憂讒畏譏，主導大破大立的改革，除了堅持自身清廉有所為以及有所不為的理念之外，領導者的團隊，也必須清廉沒有品格上的汙點瑕疵。

職是之故，欲讓台灣跳脫顏色鬥爭，改頭換面，似可效法瑞士採聯合執政以及包含創制與複決雙重機能的直接民主公投制度，藉以徹底破除中國歷史上打江山、爭天下的山頭霸主封建思維，把天下的資源與利益當作自己永世萬代的產業，獨占特權無絕期。

今後台灣迫切需要的是，誠摯地把人民視為這塊土地真正的主人，民意也可以直接參與主導管理眾人之事，凡事不僅僅是政府或國會說了算，還得將人民的聲音算上一分，真正做到孫中山所論選賢與能，權能區分，在此情況之下，私心自用的政策買票（例如任何黨的政府隨時以行政資源任意核撥鉅款協助某些群體或進行虛華而不切實際的工程建設等）以及公共採購黑箱作業（例如沒有經過民主公聽程序而硬行廢核改建風力發電、補貼旅遊、以天文數字的預算採購美國武器等等，都難免涉及利益輸送的回扣貪污之嫌）。誠然，於朝向這個目標努力前進的同時，台灣將有四類人或團體肯定會身陷於極大利益損失的痛苦深淵，他們將是政客、黨派、媒體及財團。如何防止這類群體復辟反撲，新政府亟需未雨綢繆，防範於未然。

借鏡瑞士直接民主的三權分立，「府」、「會」、「民」三方都可以相互制衡，少數服從多數，沒有和稀泥式的搓圓仔湯，也沒有黑箱作業，一切公開，人人當家做主，凡事不是政府行政部門或國會說了算，而是老百姓保有最後的話語權，沒人可以耍無賴、耍流氓，大家接受公投的結果，讓過半數的民意來說話，不管甘不甘心、情不情願，都得接受。因此，從另一個角度來看當前台灣的

公投運作，說來就是個四不像，例如核四公投，在台灣吵得沸沸揚揚，好不熱鬧，有如當事的兩造在賭場鬥氣玩俄羅斯輪盤，各以左輪槍抵著自己的太陽穴賭命一般意氣用事！

　　「選賢與能」與「權能區分」是孫中山民權思想的核心基礎，國際間大多數國家都無法同時實踐，二者正如「知行合一」的相輔相成。瑞士的經驗說明透過選舉是可以選出人才為國為民，這就是有能力者且崇尚品行道德規範者治國，則國泰民安，民主長存，人民永遠是國家主人翁。這套說法，在孫中山的時代可能正處啟蒙階段，從實踐經驗看，落實程序正當性與治理正當性均為現代國家不可或缺的理論依據。

孫中山民權說借鏡瑞士直接民權經驗——以創制、複決為例

台灣的抉擇❸──人民有權？政府有能？

思考修憲廢除考試院和監察院的真實目的

桂宏誠

> 義和團之後中國人的自信力便完全失去，
> 崇拜外國的心理便一天高過一天，
> ……把中國的舊東西都不要，事事都是仿效外國，
> 只要聽到說外國有的東西，我們便要去學，便要拿來實行。
> ……總要拿外國人所講的民權到中國來實行，
> 至於民權究竟是什麼東西？也不去根本研究。
> ……所以外國的民權辦法，
> 不能做我們的標準，不足為我們的師導。
> ——孫中山，《民權主義‧第五講》

一、前言：為什麼要修憲？

在執政的民進黨推動下，第十屆立法院已成立修憲委員會，啟動中華民國終止動員戡亂時期後的第八次修憲。目前的修憲提案有六十多項，其中關於投票權年齡資格從最低二十歲降至十八歲的提案，較無爭議。此外，民進黨立委提出多項有關廢除考試院和監察院及其職權移轉案，還有周春米委員領銜提案廢除省政府和省諮議會案，都涉及變更我國憲政體制的基本架構。

我們先思考這些問題：我國有台灣省和福建省嗎？修憲廢除省政府和省諮議會是怎回事？如果須修憲才能廢除省政府和省諮議會，現在難道沒有違憲嗎？或者，我們雖知道怎回事，但並不在乎

違不違憲。若是如此，台灣還能算是憲政民主體制嗎？而修憲又是為了什麼呢？

事實上，行政院從2019年起，就以「預算歸零」和人員移撥到其他機關的方式，實質上廢除了省級政府機關。目前在南投中興新村和金門縣，雖仍可看到掛著「台灣省政府」和「福建省政府」招牌的建築物，但裡面上班的都是其他機關的人。既然憲法明定的省制可用這種方式實質廢除，那麼以同樣方式廢除考監兩院，豈不是更省事？

民進黨向來主張廢除考監兩院，創黨黨綱中明定要制定新憲法以建立「台灣共和國」，反對「維持大而無當的『中華民國五權憲法體制』」。因此，若因支持該黨的政治理念而認同廢除考監兩院，這就與制度本身的好壞無關。另有些人以美國是三權分立的憲法體制，就認為我國五院制多出的兩權，必不符合民主理論及是個累贅。但是，我國廢除考監兩院後就真的變成了三權分立的憲法體制？而我們又真的了解美國三權分立的原理及制度目的嗎？

完成修憲的最後程序是公民複決投票，但大多數人從未曾參加過國家考試或在政府部門任職過，在做出是否同意廢除考監兩院的修憲抉擇時，是否真的認識或了解這兩院的職權及其實際運作？或即使自認已有所認識，但了解的程度是否僅是閱讀或聽來的「印象」？而決定投票所依據的印象或知識，又是否全都是「真相」呢？

二、英美民主體制真有那麼好？

台灣人常拿美國式民主作為典範，不少人還以為有了投票權，就幾乎擁有全部的民主生活。但這幾年來，不少英美學者探討他們

的民主體制為何正走向崩潰？當我們要對修憲案做出抉擇時，多了解這些問題當有助於思考和判斷。

（一）當前英美民主的真相是什麼

俄羅斯在2014年2至3月間，出兵兼併了國際承認是烏克蘭領土，但居民使用俄語約占77%的克里米亞。美國《華盛頓郵報》（The Washington Post）當時做了一分民意調查，題目是美國該不該啟動軍事干預？調查結果美國人表達了強硬的立場，很多受訪者更還激昂地認為該出兵。

姑且不論美俄兩國都擁有千百枚長程核子導彈，雙方若真的開戰，可能引爆生靈塗炭的第三次世界大戰。這分民調顯示，受訪者平均每六人中，只有一人在地圖上找得到烏克蘭，而大學生受訪者則是平均每四人中，還不到一人可以找得到。此外，民調還顯示最支持美國出兵的人，要不是以為烏克蘭在拉丁美洲，就以為在南半球的澳洲。

美國目前是世界上國力最強及致力輸出美式民主的國家，英國則曾是世界第一強的日不落帝國，也是近代以來最老牌的民主國家。但2016年時，《牛津字典》（Oxford English Dictionary, OED）選出的年度代表性字彙，是可譯為「後真相」的Post-truth，理由是這一年英國通過了脫離歐洲聯盟的公民投票，美國房地產大亨川普當選了總統，而這個早已存在的形容詞，卻在當年的使用頻率大為飆升。

英美不少學者已覺察到上述民主制度面臨的真實困境，他們告訴大家自己所信仰的民主，卻在常規民主運作下正無感地走向了終結或死亡。例如，英國劍橋大學政治學教授朗希曼

（David Runciman）出版《民主如何走向了終結》（How Democracy Ends），美國哈佛大學政治學教授李維茲基（Steven Levitsky）和齊布拉特（Daniel Ziblatt）合著《民主是怎麼死的》（How Democracies Die），在他們的著作中都指出了一項重要的原因，便是公民做出投票的決定時，要不是已被誤導或沒有能力看出事務的複雜性，就是選擇性地只看到和自己意識形態相符的「真相」。事實上，吹起一股民粹的風潮也是英美兩國的民主實況。

此外，有些政治學者如美國喬治城大學教授布倫南（Jason Brennan），大膽提出把民主制調整為「智民制」（epistocracy）的主張。他們強調應重視民主體制產生的結果，現在的民主程序既然不能產出品質好的政策，那麼就該對症下藥地改革。他們初步提出的設想是，不應只以年齡作為賦予投票權的依據，要另外建立一套測驗或考試的制度，只讓了解與具備相關公共事務知識的人，才擁有投票權乃至於被選舉權。

支持此一改革方向的學者舉例，十七歲學生對公務事務的了解程度，不一定要比四十歲的成年人低。不僅如此，移民者取得美國公民資格須通過公民測驗，但若土生土長的美國人也參加同樣的測驗，相信很多公民根本考不過。因此，他們認為國民若想要擁有公民權，就該先積極了解公共事務及具備相關知識，而民主政治也應追求「知民之治」（rule of knowers）和「以知識治國」（knowledge-based rule），才能讓民主政治產出好的政策及增進人民福祉。

（二）中山先生曾對英美民主體制效能低落和腐敗開出處方

一百年前中山先生主張考試權和監察權獨立的理由，是他考察了英美民主政府產生的流弊後，才構思出既能實施選舉，又可建立

賢能政府的體制。此與當前美國學者提出的「智民制」，具有幾乎相同的理由和目的。

然而，「智民制」對於美式民主的改革，著眼於國民應先須經某種方式的考試及格，證明具有對公共事務做出較佳決定的基本素質後，才能成為享有投票權的公民。中山先生的著眼點則在於，擔任包括議員在內的所有選舉任用職，都必須先由獨立的考試權以考試定其候選或任官資格。而且，官員任職期間能否維持清廉與賢能，則有獨立的監察權負有監督的功能。

事實上，19世紀中期英美兩國的民主政府體制，因走向了效能低落與腐敗，讓人民大為不滿與質疑。於是，英國在1855年至1870年間，從研議學習中國科舉考試制度起，逐步建立了重視專業與常期任職的現代文官體制。而美國在1881年時，加菲爾德（James Abram Garfield）總統上任才半年多，就遭到向聯邦政府求官不遂的支持者暗殺身亡，從而促成美國從1883年起，將政府職位原全由勝選政黨分派的「分贓制」（spoil system），改革成須經公開競爭考試任用，重視專業化和永業化的文官體制。

中山先生為中華民國規畫的憲法體制，是考察與研究了英美兩國在這段期間的情況，並研讀過相關的著作與文獻，才更了解到民主政府也會面臨效能低落和腐敗的困境。因此，他為避免建立民國後的政府可能會重蹈英美兩國的覆轍，遂以中國具獨立傳統的科舉考試和監察御史制度，為民主政府易趨向效能低落和腐敗的病灶，開出了建立五權憲法體制的處方。

基於此，我們不必簡單化地以美歐國家沒有這套制度，就理所當然認為應該廢除。至少，我們應先了解這兩個院的職權是什麼，以及和人民又有何直接或間接的關係？

思考修憲廢除考試院和監察院的真實目的

三、考試院的職權和人民有何關係？

前考試院院長邱創煥在台灣光復時，僅有小學畢業及小學教師培訓結業的學歷。他為了擔任公務人員，先參加當時為沒有相應學歷者報考的「檢定考試」，於及格取得應考資格候再報考「普通」和「高等」兩項考試。邱前院長出身農村子弟，就是靠著公平的考試制度才有機會擔任公職，進而改變了家族的社會階層。

（一）考試院與人民的直接關係

如果要從事律師、會計師、醫師（另有屬公務人員的公職醫師）、建築師、土木工程技師、地政士、記帳士等「專門職業及技術人員」的行業，以及擔任法律保障可長期任職至退休的公務人員，依憲法規定均須經考試院下設考選部承辦的「國家考試」及格。而參加「專門職業及技術人員」考試名列金榜後，要再取得執業執照前或許還需要經過受訓（如律師、導遊等），但此階段已不涉及考試院的職權。

新科公務人員的任用則不同，金榜題名後依成績和自填的志願，先分配到服務機關接受四個月的「實務訓練」，期間一個月會集中至訓練機構實施「基礎訓練」，此時則由考試院下設的公務人員保障暨培訓委員會主辦。這個階段的訓練皆及格後，考選部才發給考試及格證書，亦即取得了考試及格的公務人員任用資格。接下來，新科公務人員在機關「試用」六個月，期滿成績及格才真正「實授」獲得任用。而從這個階段起到退休，除了參加「升官等訓練」，或因權益遭服務機關之侵害而提起救濟，屬於公務人員保障暨培訓委員會的職權外，每年必定會收到考試院另個機關銓敘部，發給考績和俸級審核確定通知書。

《憲法增修條文》規定公務人員的考試、銓敘、保障、撫卹、退休，其執行和法制皆由考試院主管；而公務人員的任免、考績、級俸、陞遷和褒獎，歷次修憲後雖已無執行權，但仍保有主管建構公務人員制度之「法制事項」職權。但事實上，我國開始實施憲法於國共內戰的動員戡亂時期，戰爭時期以行政權獨大一切為原則，故考試院在修憲後所「喪失」的執行權，其實並無完全依據憲法真正擁有過，而修憲的結果只是把過去現實狀況合憲化而已。

如果你有意願到政府機關任職，但卻不是某立法委員的女婿，或是像「口譯哥」是執政黨栽培的年輕人，那麼就只能努力準備參加國家考試。尤其像是口譯哥，外交部並不缺英語口譯人才，但卻派任為駐美代表處的政治組組長。這個職位需要相當外交部司處長等一級單位主管的任用資格，通常經外交特考錄取和訓練合格後任職，少說也要在各種職位上歷練個近二十年。

口譯哥的任職是外交部創下的首例，但並不符合法律，上一屆監察委員才提出了「糾正案」。事實上，當前尤其在地方政府中，許多法律上定位為臨時性工作的「約聘僱」職缺，是被使用來酬庸與償還選舉人情，而且一臨時就臨時了十幾二十年。獨立的考試院向來擔心這種職位愈多，就愈壓縮透過公平考試任用的職位，但由於有意到政府任職者終究只是少數人，絕大多數人和此情形沒有直接關係，也使考試院的管控常是心有餘而力不足。

（二）考試院與人民的間接關係

總統和地方首長的大選結束後，如果大批競選功臣或是「網軍」就進入了政府部門任職，他們未必具有規畫和執行政策的能力，但工作目標卻是鞏固政權、維繫黨派利益和營造連任的有利條

件。如此一來，人民納稅花費在這些人的開銷上，換來的並不是施政效能的提升，而是選舉時的不公平競爭，這就屬於考試院職權和人民間具有間接關係所在。也因此，考試院還具有一項重要的職權功能，那就是藉由獨立於行政院之外且與之地位平等，期能發揮維護行政中立文官體系的功能。

前面提到台灣省和福建省已實質廢除後，行政院分別設置了南部、中部、東部、雲嘉南區、金馬共六個屬任務編組派出單位的「聯合服務中心」。這些聯合服務中心的單位主管是由行政院政務委員兼任的「主任」，但實際上的主管卻是違法由「約聘人員」擔任的執行長和副執行長。然而，「聯合服務中心」只負責中央各機關主管的日常業務性工作，可讓民眾申辦案件免於舟車勞頓，但各地服務中心統籌辦理中央各部會日常業務的正副執行長，卻都是由無中央公務人員經驗的地方黨派要角來擔任。這種職位不僅是政府朋黨化的「黑官」，而且以政府資源厚植執政黨地方選舉與「樁腳」的勢力，皆侵蝕了文官體制而有違行政中立。

2020年媒體揭露行政院人事行政總處研擬了《聘約人員人事條例草案》，這應是現職公務人員不滿才向媒體爆料，並引起媒體輿論相當大的驚愕。該草案規定「研究、實（試）驗、檢驗、文教、醫療、專業科技、限期性任務功能組織」等職務得以契約聘用，且服務三年成績良好者，還可「兼任」或任用目前須具考試及格資格的職位，直接衝擊憲法第八十五條「公務人員之選拔，應實行公開競爭之考試制度」及「非經考試及格者，不得任用」之規定。尤其，行政院對涉及政府人事法制事項並無法律提案權，而此法大開無須經考試及格進入政府任職之門，光是中央政府就將使已占8％預算員額的約聘僱人員急遽增加，進而大幅壓縮須經公開競爭考試及格任用的職位。

四、外國制度一定比較好嗎？

　　我國公務人員的考試由獨立行政院之外的考試院統一辦理，除了日本、韓國中央層級公務人員和印度聯邦公務人員考試亦統一辦理，但沒有和行政權平行的考試權外，其他主要發達國家都是由用人機關遇有缺額時，自行依公開競爭原則辦理人員進用的考選。或許，這是亞洲國家的官制結構受到中國傳統的影響較深，重視官員的資格及須經過職務歷練而逐級晉升。例如，經考試院考試及格取得的公務人員任用資格，基本上只要符合考試類科可以任職的「職系」，就可以在中央和地方政府各機關裡任職、晉升或調職。

　　相較於西方較為先進的國家，經某機關自行考選進用的公務人員，如果想要到另個體系內的機關任職，就需要再參加該機關自行辦理的公開競爭考試。以世界競爭力常名列前茅的北歐國家為例，他們的公務人員只是勞工中的一種，機關自行考選進用的公務人員若想要「升」較高的職務，就需遇有職缺辦理公開競爭考試時，再像新人般一樣報名應試，而且公私部門的員工權益，均適用勞工法規。

　　又如，法國曾有新進公務人員快速晉升的制度，四十歲以下的大學畢業生只要考進了「國家行政學院」，經過二十六個月的密集訓練畢業後，就可取得任官資格分發到政府核心部門擔任較高的職務。法國總統馬克宏（Emmanuel Macron）二十七歲從「國家行政學院」受訓期滿任官，三十九歲成為該校畢業的第三位總統校友。然而，2018年11月爆發了蔓延長達兩年的「黃背心運動」，大規模且群情激憤的抗議者指責「國家行政學院」，造就了派系壟斷權力及不知基層生活的權力貴族。2022年獲連任的馬克宏總統在2021年4月競選時，公開宣布將關閉國家行政學院，而該院現已成為歷史。

學者往往對歐美發達國家較具特色的公務人員人事制度，潛意識裡認為此與國家發達具有高度相關性，故不僅在授課與學術研究時大力引介，甚至因其擔任公務人員考試的命題委員，這些制度的內容就成為了考題。事實上，本（第十三）屆之前的考試院設有十九名以合議制方式參與決策的考試委員，其中必有來自於行政學界的學者和實務界的高階文官，他們對世界主要國家文官制度的特色與發展並不陌生。而考試院歷年出版的出國考察及研究計畫等報告，蒐集其他國家文官制度的最新發展與變革，也是考試院的重要業務之一。

每個國家文官制度的建構與發展，均孕育於自身傳統文化和面對各自的政經與社會環境，並如有機體般形成一套緊密相聯繫的機制。故而，他國實施特定而成功的制度，未必就能融入我國的文官體制內。像是把公務人員只視為普通勞工的一類，就和公務人員言行要作為人民表率的國家，不僅法律所定公務人員應負的品格義務大不相同，也關係著是否適合由各機關自行進用的選擇，以至於身分保障的程度、升遷方式、績效考評的實施及薪資待遇和退休金的水準等。總之，外國制度並非理所當然就值得學習效法，我們也不必陷入外國制度就一定應該學習，否則便是落伍的迷思。中山先生在《民權主義第五講》中指出，不必因義和團事件的恥辱而喪失民族自信心，並因崇拜外國而事事都要仿效外國，「所以外國的民權辦法，不能做我們的標準，不足為我們的師導」，便是這個道理。

五、監察院今昔刻劃出的印象

如果不是公務員，家人或親友未曾因政府的作為而有冤屈，不知道監察院的功能是很正常的事。但根據前監察委員李復甸的說法，在一百六十餘個設置監察機關之國家或地區組成「國際監察組

織」（International Ombudsman Institute）的歷年會議中，各國對我國五權設置之完善莫不稱羨。尤其，監察院掌有糾正權這樣的「棍棒」，可戢止行政專權與侵害人權，更讓其他國家欽羨。

監察院行使職權的過程不能對外公開，只會在重大案件有了結果公布後，才可能受到媒體的關注。此外，本屆2020年8月1日新組成的監察院，由於委員們抱持著支持廢院的心態就任，即使發生了官員重大違法或失職的情形，他們仍裝作不知道，怠於行使職權。

不僅如此，2021年4月監察院慶祝成立九十週年舉辦了「監察權實踐與展望學術研討會」，應邀出席第四場與談人中的民進黨前、現任監委張富美和田秋堇，以及非民進黨的前監委李復甸和劉靜怡教授，發言中均對廢除監察院提出了不同看法。但出版這次研討會的活動實錄中，唯獨第四場的與談全部截去不錄。由此可見，本屆全由蔡英文總統提名的監察院，竟連反對廢除監察院的意見也要盡量遮蔽掉。

然而，這些問題都肇因於監察權沒有功能？還是監委的提名和任命制度，讓蔡總統任命的監委要不是「煎茶委員」，就是如一再彈劾同一位檢察官的高涌誠，只勇於當個打壓異己的「捍衛戰士」？過去以來的監察院常如此嗎？

2014年7月，監察院為沉冤六十年的「孫立人案」平反，調查過程中讓1955年完成但遭塵封的調查報告重現，才發現在動員戡亂時期的強人統治下，仍有監委為捍衛人權表現出嶙峋之風骨。例如，調查孫案的五位監委曾聯名致函蔣中正總統，指陳孫的部屬郭廷亮等九人「殊難使負叛亂之刑責」。不僅如此，調查小組召集人曹啟文更私函蔣總統，說明此案牽涉人等多為遭誣指構陷，還犯顏直諫「豈可信此種近似權術之理由，自亂根塵，昧厥良知，犧牲其不應犧牲的患難袍澤」等語。

此外，也參與調查孫立人案的監委陶百川，1957年對行政院「美援運用委員會」的待遇較一般公務員高了五倍提出了糾正案。但當時的行政院院長俞鴻鈞僅回應「減少待遇將影響工作情緒」，並拒絕至監察院報告。於是，監察院再以「貽誤國家要政，妨害監察職權」為由，通過了俞鴻鈞的彈劾案，經移送當時司法院下設的「公務員懲戒委員會」審議及做出了「申誡」的處分，導致俞鴻鈞基於政治道德而辭職下台。

為什麼強人政治時代的監察院，要比民主時代更能彰顯監察權的功能呢？這到底是我國整個民主體制出了問題？還是獨立的監察院必會造成功能不彰，不如廢除監察院或將其職權移轉至立法院或行政院，才能更加發揮制度的功能？其實，過去監察院實際的運作情形，就是最好與最適用的經驗理論，也是我們在決定是否要廢除監察院前，應該先認識與思考的重點。

六、監察院監督政府和即時保障人權

監察院的職權是對官員的行為、行政作為和機關依法執行預算，以獨立地位之監督者角色，行使彈劾、糾正、糾舉及審計權。監察院的職權在其他國家由民選國會所掌有，理由是行政權要受到民意的監督。我國憲法本文設計的監察院原也是民意代表機關，但修憲後改成現今監委由總統提名經立法院同意任命的「準司法機關」。也因此，當總統和立法院多數都是同一政黨的情形下，監察院就可能為了捍衛執政權而怠於行使職權，成為戲稱的「煎茶院」。

（一）彈劾權

彈劾是針對「官員」，經調查後提出涉及行政法上的違法或失職等證據，再移送到司法院下設的懲戒法院，由懲戒法院法官依據

《公務員懲戒法》判決及做出懲戒處分。例如，監察院過去有多件針對公務員婚外情提出彈劾的案件，均因官員行為「敗壞私德」，違反《公務員服務法》第五條規定公務員「不得放蕩」致有損機關聲譽，經移送懲戒法院做成了予以「司法懲戒」的判決。

然而，衛生福利部附屬醫療及社會福利機構管理會執行長王必勝遭媒體爆料婚外情生有一女，監察院並未對他進行調查後提出彈劾。而王必勝的長官陳時中本應依《公務人員考績法》給予「行政懲處」，但卻以不干涉「私領域生活」而包庇護短。事實上，王必勝的情形若發生在警察身上，依規定必須給予記一大過的處分。

獨立的監察院是為防範行政首長徇私護短以致官箴敗壞而設，上一屆監察院彈劾過軍事將領、檢察總長、行政院秘書長、監察院秘書長、最高法院法官等，而因貪瀆遭彈劾者有二百八十餘人，另有多人是因行為顛頇跋扈、生活靡爛及推諉塞責遭彈劾。然而，若政府職位可讓一次選舉獲勝的政黨「勝者全拿」，且執政黨又不尊重民主與法治，再加上人民不知情或不在乎，本屆監察院的現況，幾近就是廢除監察院後的模擬。

（二）糾正權和糾舉權

糾正是針對「事情」，對於機關行政作為的失當，經調查後向該機關提出糾正以促其改善，而機關接到糾正案後應即為適當的改善或處置。糾舉的對象則包括了官員和仍在處理中事務，但因官員違法或失職的情節較為重大，而應先予停職或其他急速處分時提出，故過去提出糾舉的案例較少見。

糾正是監委最常行使的職權，也對督促行政執行具有正面功效。例如，我國向法國採購拉法葉軍艦案曾發生重大弊端，後續國防部依監察院提出之糾正案向國際仲裁機構提出仲裁，使法國需損

害賠償我國八億七千五百萬美元。又如，糾正行政機關未能依法審查「假農民」案，也使當年即節省公帑可達十億元。

此外，監察院也可以糾正權來保障人權。例如，2010年5月制定公布的《刑事妥速審判法》，規定已逾八年未能判決確定之案件，除依法應諭知無罪判決者外，亦得依據法定要件減輕其刑。促成這項法律的制定，是因過去曾有人從壯年收押禁見到七旬白頭，案件流浪了三十年未確定判決，後來在監察院完成調查報告半年之後，司法院即提案送立法院通過了立法。

事實上，糾正權最能發揮保障人民權益的功能，因相對於司法訴訟的耗時費力，監察院就民眾的冤屈或怨言可掌握時效進行調查，進而向行政機關提出糾正以促其改善。而若民眾的冤情是出於誤解或溝通不良，監察院也可扮演溝通或調解的角色，及時化解民眾的誤會。也因此，有些歐美國家將監察機制定名為如法國的「調解使」（Mediator），或拉丁美洲國家的「護民官」（People's Advocate）。

（三）審計權

審計權是由監察院下設的審計部主管，主要職權在於監督政府執行立法院及各地方議會通過之預算。因此，政府機關完成年度經費使用的決算，要送到審計部審查，而審計部完成審計報告後，須再分送立法院及各地方議會。

審計部最重要的功能是監督政府機關的用錢是否合法。例如，前總統陳水扁涉嫌貪瀆於一審判決有罪的「國務機要費」案，審計部依法審計查核認定該項列在總統府預算書內的經費，需附上證明與預算書所定用途相符的單據憑證，才可依法「核銷」與認定為合

法使用。然而，陳水扁由於無法提出符合預算用途的憑證，審計部和一審法院均認定涉及了貪瀆。

七、考監廢院不廢權的迷思

　　台灣人心中常有個迷思，若自己的制度與西方國家不同，就傾向認為一定是自己的錯。五權分立是基於中山先生的「權能區分」理論，且為該理論仍「殘留」在我國憲法中的元素，故易讓人覺得設置考監兩院一定是錯的。然而，為了符合所謂三權分立而廢院不廢權後，真的比現在制度更好嗎？台灣有許多移工來自菲律賓和印尼，他們國家的憲政體制恰是亞洲最近似美國者。

（一）中山先生的權能區分理論也取法西方政治思想

　　前文提到當前美國有學者提出「以知識治國」的「智民制」，不少美國政治學者對此理論立刻聯想到了彌爾，因為彌勒為改革19世紀中期備受質疑的英國民主體制，亦曾提出過高教育程度者的投票價值應算兩票或三票。彌勒在1866至1868年曾是英國國會議員，迄今仍是重要的政治思想家，而中山先生在《民權主義第二講》介紹過彌爾對自由的定義，且在其自創的「人民有權，政府有能」的「權能區分」理論中，更可看到不少彌爾的身影。

　　彌爾在1861年出版的《論代議制政府》書中指出，民主體制可能導致多數專制，致使政治上可能產生集體平庸和階級立法的問題。而他認為良好的政府型態，須能發揮兩項主要的功能，一是教育人民、增進人民的智識與德性，二是組織賢能的人管理好公共事務。彌爾為喚回英國人民對民主體制的信心，在政府結構方面提出的改革理論，是先在「監督政府的權力」和「處理眾人之事的才能」兩者間有所區分，進而主張國會的角色與功能應限於監督與批

評政府，以及議員間商議討論以促使制定出好的法律。至於立法工作則應交由專門的委員會負責，因為它和行政及司法工作一樣，都需由具專門知識的才能之士來處理。

由此可看出中山先生自創的權能區分理論，除借鑑瑞士的選舉、罷免、創制和複決四項直接民權外，更可能還受到了彌爾《論代議制政府》的啟發。此外，不無可能者是，1855年英國國會有意引進中國科舉考試制度之初，如果當時彌爾已是國會議員，或許對民主體制走向集體平庸所提出的改革方法，會思考到公職人員均須以考試定其候選或任用資格，而非只以賦予教育程度高者投下的一票，計票上比教育程度低者多算個一、兩票。

總之，中山先生的權能區分理論是以獨立的考試權為核心，他期待依此理論建構的五權政府，能夠和彌爾的代議制政府發揮相同的功能，即解決民主政府可能發生效能不佳和腐敗的問題。台灣曾在西方定義的「威權體制」（authoritarianism）時期裡，高度經濟發展創造出西方原有理論無法解釋的「經濟奇蹟」，也讓西方必須新建構如「發展型國家」等理論來解釋。而在這些理論中，「擁有以功績制為原則建構的高素質文官團隊」常被列為造就經濟奇蹟的原因之一，證明了獨立的考試權確實發揮過重要的功能。

那麼，現今有何必要的理由，要連同監督政府和公務員的監察院，一併修憲廢除或廢院不廢權呢？

（二）五權比三權更能發揮監督制衡的功能

我們常認為只有三權分立才可發揮「監督」與「制衡」的功能，但我國憲法即使從原本的「修正式內閣制」，改為目前政治學者認為的「半總統制」，就算再廢除了考監兩院成了三權憲法體

制，但在行政院向立法院負責的內閣制精神未變下，難道可以算是三權分立與制衡嗎？事實上，監察院行使職權的對象是官員及其執行法律的行為，這屬於「監督」應無疑義。但何謂「制衡」呢？

美國學者施洛德（Richard C. Schroeder）指出，美國制憲會議中討論的「制衡」（checks and balances），原本僅係指國會參議院和眾議院間的關係。同時，美國憲政學者魯茲（Donald S. Lutz）強調，美國憲法的設計被稱為「權力分立」（separation of powers）其實是個誤解，較精確的說法應是「權力共享而功能區分」（separation of functions with shared powers）。並且，制衡是一套防範單一政黨因勝選而坐大至全盤掌握三個部門的權位，以及建立一套使做出決定必經審慎商議程序的制度設計。由此來看，我國總統和立委選舉同時舉行，民進黨在總統和立委選舉都獲勝後，五院重要職位的人事均幾乎可由其單方意志來支配，因而我國憲政體制真的存在制衡功能嗎？

根據魯茲的分析，checks基本上是指阻滯、設限或放慢做出決定的機制，目的是要使各權力部門間須經繁複的審慎商議程序再做出決定。例如，法律須經國會參議院和眾議院都通過，而且總統還擁有十天考慮公布施行或退回國會的覆議權，而總統若行使了覆議權，國會則須兩院再以三分之二的絕對多數通過，才能維持原案。至於balances是指如參議員任期六年，眾議員任期二年，但參議院議員每二年改選三分之一，既可讓國會保持存在著代表新舊的民意，也不會因一次性選舉的結果，就輕易地讓國會被單一政黨掌握絕對優勢的席次。

現行的監察權若移歸給立法委員，當執政黨官員執行職務違法失職致使人民權益受損，或是官員的德性敗壞而有損政府聲譽時，

立法院是否能更加發揮糾正和彈劾的監察權呢？目前總統和立法院過半數委員均是民進黨，若執政黨只奉鞏固政權與追求長期執政為最高原則，這屆監察院常被譏為沉睡的「煎茶院」，就是可預期的未來寫照。

例如，新冠肺炎疫情發生兩年多，染疫病逝者幾近三千人時，才引爆政府並未規定遺體須於24小時內火化的「天大誤會」。這件有悖人倫和民俗的大事，兩年來不僅監察院不聞不問，事件爆發與問題根源愈加明朗後，也未見執政黨立委質疑和糾正怠忽職的行政院。這些事例，在在說明行政院和立法院在同一政黨全面執政下，監察權無論移歸給立法院或行政院，即使設置成「獨立機關」，其功能也不會比現在獨立的監察院更好。

何況，彈劾權行使對象包括除立法院外的其他四院院長，故由獨立的院級機關掌理較為合理。同時，彈劾案成立後須移送司法院下設的懲戒法院審判，才能決定是否應做出懲戒處分，這是憲政上的監督和促使審慎做出決定的制衡機制。然而，「廢院不廢權」後的制度設計是什麼？在這問題還沒有提出規畫前就先有了廢院的修憲提案，主張廢院的真正理由是為了制度更好嗎？

再者，類似國家考試和文官制度在其他國家中，固然皆屬於「行政權」的一部分，但過去由考試院職掌的經驗證明，並無必要廢院且將職權移給行政院。考試院從成立之始，用人機關對其建立公開競爭的考試用人制度，就採取陽奉陰違甚至抵制的態度，故其一直努力靠主管文官制度的職權，發揮制衡群帶關係用人的情況。在進入民主的政黨政治時期後，考試院又還要制衡機關用人走向政黨分贓，並保障常任文官不受執政黨打壓，建立不受政黨輪替影響之行政中立與專業的文官體系。

考試院就其主管事項推動政策成為制度的過程中，行政院及全國各機關皆有參與的機會，且最終仍須由立法院通過立法，而這整個過程就是制衡的機制。故而，廢除考試院將職權移歸給行政院後，就會喪失原有且最為重要的制衡功能。例如，前面提到行政院研擬的《聘約人員人事條例草案》，擴大不須經公開競爭考試也可任用為常任文官的職位，相對必將減少考試及格任用的職缺。這種有利於用人裙帶化與政黨分贓化的制度變革，預料將是廢除考試院後的趨勢，從而尚未成熟穩定的行政中立文官體制，勢必也將隨之崩裂。

八、結語

2020年1月修正公布的《考試院組織法》中，考試院正副院長及考試委員的任期從六年改為四年，並從同年新一屆成立後的屆期，也與總統和立法院的屆期相同。如此修正，可讓每屆當選的總統重新提名所有的考試院高層人事，而若總統和立法院多數又是同一黨，考試院高層人事即可全由執政黨決定。因此，考試院超然獨立所賴以支撐的制衡機制，猶如已被打斷了腿骨。此外，考試委員人數也從原本的十九人修正為七至九人，且民進黨立委曾要將考試委員擁有的決策權，改為僅能「研究」和「備諮詢」，但因明顯違憲而作罷。

為什麼民進黨立委急著「修理」考試院？因上屆考試院是馬英九總統提名經立法院同意任命，他們對公務人員年金改革和新執政黨的立場有異，而且對諸如「口譯哥」以約聘人員擔任駐美代表處要職，以及實質廢省涉及違憲等問題，都曾公開提出了質疑。換言之，民進黨強勢修理考試院的目的，就是要消滅考試院所具有的制衡功能。

至於監察院在民進黨2016年全面執政後，法定名額為二十九名的監委尚留有十一名懸缺，蔡英文總統於翌年即任命補滿，而2020年新一屆監察院的高層人士，則全由蔡總統提名經立法院同意後任命。也因此，監察院這幾年來未見發揮監督的功能，即因監察院的人事可由選舉獲勝的政黨全部掌控，而總統又任命了能配合執政黨意志的人選。

總之，面對修憲廢除考監兩院的抉擇時，我們應探究提案的真實目的是什麼？而必須廢除的理由又何在？以及我們真的知道考監兩院的職權和實際運作情形嗎？同時，難道只因其他國家沒有這種制度，我們就該排除讓獨立的考監兩院更能發揮功能之另一種選擇？

新台灣模式與傳統「仁政」的距離

區桂芝

人皆有不忍人之心；先王有不忍人之心，斯有不忍人之政矣，以不忍人之心，行不忍人之政，治天下可運之掌上。

——《孟子・公孫丑上》

天子不仁，不保四海；諸侯不仁，不保社稷；卿大夫不仁，不保宗廟；士庶人不仁，不保四體。

——《孟子・離婁上》

一、前言

　　2022年4月6日，蔡英文總統在清明連假後，邀集府院高層及疫情指揮中心主要負責官員，召開防疫策略會議。會中達成高度共識，提出為兼顧經濟與防疫的「新台灣模式」。蔡總統之後在臉書貼出十五字箴言解釋其內涵為「重症求清零，輕症可控管，正常過生活」；4月6 日那天本土新增確診數創下「新高」二百八十一人，本土疫情連續破百六天。時隔一星期，4月14日單日確診數漲破三倍達八百七十四人，但並無新增死亡，這些連續區區的小數讓行政院長蘇貞昌一派輕鬆、底氣十足的開記者會，宣傳「積極防疫，穩健開放」的防疫目標。當時世界各國的疫情走向以及隔鄰香港日增數萬例死亡超過九千人的慘痛實況，絲毫不影響蔡蘇體制防疫步調的從容淡定。然而，其後疫情就毫不留情，迅雷不及掩耳的四處氾濫肆虐，病毒打臉似的複製蔓延再蔓延，確診病例指數型瘋漲，從北

到南，全島無一淨土，街頭巷尾人面倉皇相避。再約兩星期不到，單日確診數破萬；再約一星期，破五萬；接下來，人數在六萬、七萬、八萬、九萬——所謂的高原期——震盪不已。時序匆匆，從暮春清明來到盛夏七月上旬，單日確診數牛步緩降，仍日日破三萬，重症亡逝人數，兩個月內迅速累積直奔近八千人，不但早早快快突破所謂的陳時中防線（致死率千分之一），重症死亡率更高達85%，而且屢壓不下……。

蔡大總統對大量同胞的亡故冷靜沈默，讓人想起她對拜登狗兒的傷悼，判若雲泥的態度令人蹙額；再對照蘇大院長曾經雲淡風清、歲月靜好的宣示：本土確診數「難免」會增加，但99.6%均為輕症或無症狀者……，政府一方面……，另一方面又……。這些輕描淡寫的陳述，非只粉飾太平而已，更令人心寒於蔡蘇對民命的漠視與冷酷。那0.4%重症及亡去者的比例，看起來在蔡蘇暨指揮中心諸大官人心中是微不足道的。可目前超過四百萬的染疫人數，0.4%的比例換算成實際數字將超過十六萬，這驚人的數字還涵括不了民眾心中不敢、不忍預測（可能兩倍或三、四、五倍？）的龐大黑數，這個「穩健開放」的政府，顯得和染疫重症者的巨大恐慌、生死猝隔的人倫悲劇，無限遠的疏離。它「穩健開放」，卻全無「穩健」部署相關因應的配套。「新台灣模式」大肆鬆綁防疫措施，從結果來看，是個率病毒食人的模式。

先秦古籍《國語》中說「仁以保民」，這無與倫比的「穩健」政府「保民」了嗎？我們自以為在民主自由的偉大制度下所選出來的政府，大喇喇地率病毒食人而毫無愧色，而島嶼順民無所措手足之餘，該如何反思我們的選擇呢？島民們忘卻了中國傳統文化中「為民父母行政」的仁者政府接近的樣貌嗎？我們還懂得追求嗎？

在此，且簡略回顧台灣歷史，檢視是哪些執政者以實際行動把人民的生命、生存放在心上？也許歷史能為吾人喚回一些關於「仁政」的記憶，提醒自己「民為貴，君為輕，社稷次之」，是執政者心頭該有的順序。自1895年《馬關條約》割讓以來，讓台獨人士至今仍孺慕不已的日據時代，和迭遭貶抑評價、被不斷抹黑為威權至今難以翻身的國民黨政權，前後比對參照其施政作為與存心，以及對百姓生活實際的作用影響，所謂仁政，其內涵就不言而明了。而今，「中華民國台灣」的這個政府，視民怨民命如無物，不過是仗著披上西方認可的民主自由外衣，以投票方式欺騙百姓可以當家作主。那麼，就讓我們也一併略探美式民主崩壞的末日亂象，深思民主情境與仁者世界的距離。

二、日據虐政何仁心之有

　　露絲・潘乃德（Ruth Benedict）在探討「日本文化的雙重性格」之名著《菊花與劍》（The Chrysanthemun and The Sword）一書中，特別提到：日本從西元七世紀以來，多次反覆引進了中國的道德體系，如忠、孝等，偏偏就是沒能接受「仁」。因為在中國，「仁」是忠的先決條件，皇帝和官員在位長短，取決於他們是否施行仁政，而這種「聞誅一夫紂矣，未聞弒君也」的想法，和日本的帝國主權互不相容。他們將「行仁」當做是法律以外的行為，甚至用來特指「綠林道義」，在現代的日本語境中，則貶義越來越強。然而，日本文化本身並沒有產生可以取代「仁」的道德指引，其政治哲學自然也沒有對百姓施行仁政的境界追求。其次，明治維新以後，「忠於天皇」是一切行為的最高指導原則，天皇以下，階級森嚴，在政府、宗教、軍隊和工業中，各領域都被分成不同階

級，人人「各得其所」，才能建構整體社會的安全感。於是傳統武士道的堅毅勇敢，幾乎完全朝向天皇奉獻；之後結合「脫亞入歐」的嚮往，再吸納西方生物演化論中優勝劣敗的進化觀，終於走上軍國主義的發展之路。

國際知名歷史學者、中央研究院院士許倬雲教授在《世界、華夏、台灣》一書中指出：唐宋時代，日本確實視中國為文明，然滿人入主中國後，日本對中國的態度變得鄙夷，因為中華已變於夷狄。這種想法之後更發展成以日本為領導的所謂「東亞意識」。甲午戰後，日本以征服者之姿，重兵登陸台灣，強勢鎮壓所有反抗武裝力量，根據台灣日本綜合研究所的報告，日本最初二十年殖民，以膺懲掃蕩為名，屠殺台人四十萬。這種慘烈的抗爭與殺戮，直到20世紀初才稍歇，林獻堂等人受到梁啟超啟發，放棄武力抗爭，轉以藉爭取選舉議會，期獲得平等地位，屢屢失敗告終。此後，直到日本發起侵華戰爭，啟動皇民化運動收買台灣人心，才對部分馴化的島民略假辭色。所以整體而言，日據五十年，日本人是以清國奴的角度看待台灣人，在台灣所有政策的推動，都是要鄙賤的清國奴為高貴的日本人服務，高壓、剝削、蹂躪、踐踏，毫無「仁」心，更不用奢談仁政！

許多台獨人士對日本人在台灣的現代化貢獻感恩戴德到無以復加，清華大學文學研究所呂正惠教授，曾在為《重認中國》一書撰寫序言時，以其嘉義農村的成長經驗予以駁斥。首先，他認為：日本的公學校教育比不上中華民國的小學教育那麼深入農村。日據時代，廣大的台灣農村過的仍然是傳統的閩南社會生活，後來日人強力推行皇民化運動，也只有在城市還勉強推得動，主因就是絕大多數的鄉人根本不會說日語。可見日本人根本不在意農民的教育，那

麼何來嘉惠民生的現代化？呂教授還指出鄉間沒有電燈、沒有自來水、沒有抽水馬桶……。所以，日據統治的台灣現代化，僅只發生在少數的城市地區，只是為方便居住在都市的統治階級，日本人何曾關心廣大台灣農民的基本生活？呂教授直言是中華民國國民政府使農村富裕，之後現代化的各種設備才陸續普及，也才打破農村的封閉狀態。

日據殖民政府重視、也勉強算得上對台灣略有貢獻的，是水利建設灌溉的改善和鄉間道路的鋪設，但其目的是方便將掠奪自台灣的各種農產品及天然物資更暢順的運往日本。不過是讓台灣「土人」（日人當時對台人之稱）順便得到的便利好處，竟使如今的台獨島民仍感激「皇恩浩蕩」，恐怕是殖民統治者始料未及的，也是全世界殖民史上的罕見特例，可算是另類的「台灣第一」、「世界怎麼跟得上」嗎？關於「水利建設灌溉的改善」，最為台獨人士稱道的代表作，莫過於八田與一的嘉南大圳。根據美國哈佛大學公共政策碩士、北京清華大學法學博士蔡正元的《台灣島史記》，其研究指出，嘉南大圳興建的背景是：「西伯利亞干涉」事件，日本欲出兵投入俄國內戰，為籌措軍糧，造成其國內米價暴漲，七十多個城鎮暴動搶糧搶倉，內閣倒台。新內閣上台後，為解決日本國內糧荒，下令殖民地台灣農民大幅改種日本人愛吃的蓬萊米，八田與一因此銜命來台興建水庫。眾所周知的，爾後肥沃的嘉南平原成了日本糧倉，而櫛風沐雨辛苦耕犁的台灣農民只能吃蕃薯籤，幾乎所有的穀物收成全運去日本。滿清時期，台灣農民在清政府的貸款協助下，事實上已開挖的灌溉大圳超過二十萬甲，遠大於嘉南大圳，若再加兩蔣時期所蓋的十五座水庫，八田成就何足道哉？其初心既不為台民，成果也不與之共享，試問台灣人紀念八田，是心存善念，

還是被操弄的腦殘蠢念，所為何來？此外，日據殖民政府控制了台灣地區所有的外銷貿易，所有在台徵收的關稅、砂糖產銷稅等全部上繳日本國庫，台灣老百姓想略分潤些殘羹剩肴都不可得，除非是少數既得利益的地主及皇民。有「台灣現代文學之父」「台灣的魯迅」之稱的賴和，在其短篇小說《一桿稱仔》中，寫一個賣菜小販如何在日本警察的迫害下走上絕路，而那正是日據時代台灣社會黎民生活的共相。

事實上，日據殖民政府的措施，真正使全台百姓皆受益的，是「衛生第一主義」。根據美國匹茲堡大學亞洲研究中心的劉士永研究，殖民政府積極推動衛生改善計劃，建構衛生體系與普及衛生知識，修治城市地下排水工程……，有效消除了嚴重威脅台灣的各種傳染病，如鼠疫、虐疾、傷寒、登革熱……等。日本總督府的主要目的，起初是為了保障來台日本人的生命，免受「台灣熱」之苦，營造健康安全的環境，可吸引日人移民來台；其次，為求提振生產，保全台民的勞動生產力，以供應日本帝國所需，同時台灣作為侵略南洋的基礎，避免勞動者因傳染病大量病亡，更避免傳染病波及高貴的日本人，故改善衛生條件、推廣衛生法規是絕對必要的。其中只有日據殖民者的本位思考，並無一絲絲的對台民之愛，更難掩殖民統治高壓與歧視的本質，這是仁政嗎？台灣人可以心存仁厚的感恩，但念茲在茲到差點想認賊作父，道理何在呢？

總體而言，台灣普羅庶民在政治上完全沒有地位、經濟上飽受剝削壓榨、教育上備受箝制歧視、生活上長陷奴役壓迫，毫無尊嚴可言。今天口口聲聲喊尊嚴的人，卻幾乎拋棄尊嚴，幻想著「美好安全的日治」，絲毫無感或無知於被殖民生活不人權、不人道的犬馬卑賤，這也算是「台灣奇蹟」嗎？

三、「威權」國民黨的仁政作為

　　曾經長期執政的國民黨，不論其施政立意如何良善，或治理績效如何高超，卻仍在狹隘的本土意識被不斷煽起、扭曲的民主定義被持續宣傳後，至今飽受抹黑、批判，近三十年來更一而再地被超額鬥爭，至今仍被消費利用中。且不細談兩蔣如何在1949年之後，父子兩代在三十九年間（蔣經國辭世於1988年），憑著如今被稱做「威權」的手段，將二戰後一窮二白、百業凋敝的台灣，建設成亞洲四小龍之首，GDP排名當時世界第三十七，開啟了「台灣錢淹腳目」的風光時代。就看民間至今最懷念的孫運璿內閣政績，也可略知真相在民間。

　　孫運璿於民國36年，被派到盟軍轟炸之後滿目瘡痍、輸電線幾乎全毀的台灣，專責修復電力。日本人撤退前，台電的日本技師輕蔑的預言，台灣在三個月後必將陷入一片黑暗，因為中國人沒有能力修復龐雜的電力設施。當時人、財、貨俱缺，孫運璿帶領部屬，一一解決難題。五個月間，恢復全台灣80%的電力。這位三十四歲的工程師，此後留任台電，多年工作中擬訂長期計劃，在深山及偏遠農村架設電線，全力進行農村電氣化工程，不以成本與效益為考量，使農村供電普及率達99％，甚至高過日本。而後在民國67年中美斷交國家最困難的時候，被拔擢出任行政院院長，達六年，直至病倒辭職。他的施政始終以堅持行動、關懷基層人民為核心，實踐「政府存在是為人民謀福祉」的信念。民國68年，開始興建新竹科學園區，奠定如今台灣產值破兆的護國產業；規畫並維護島內數座國家公園，維持生態保護國土，第一個國家公園——墾丁國家公園，於民國71年9月1日成立；全面開放觀光，國人得真正自由出入國門；同年，針對城鄉差距與貧富不均，投入二百億元，全面加

新台灣模式與傳統「仁政」的距離

強農村基礎建設及農村福利設施，提高農民所得，提升農民生活水平。他在任期間，中華民國國民所得六年內將近翻了三倍，平均近兩位數的經濟增長率，是當時世界第一。一生公職，他從不為自己的官場下一步打算，中風倒下後，退休金只有一百二十萬。他是目前唯一一位，身故之後，民間以紀念館形式表達感恩其貢獻的行政院院長。

再看民國76年解嚴之後的歷任內閣，也都有歷歷可數的以民為本的考量與佳績，例如：跨越解嚴前後的俞國華內閣，連續五年平均經濟成長率9.9%，外匯存底躍居世界二；開辦農民健康保險，讓一向靠天保佑的農民有了具體的現實保障。解除戒嚴以來任期最長的連戰內閣，光就建立全民健保一項，就已是傲視全球的仁民政策，使民受惠至今。因八八風災一肩扛下所有政治責任的劉兆玄，一上台就成功處理了有史以來最危險的全球性金融風暴，使台灣經濟受傷程度降至最低，有效刺激了經濟成長率；尤其魄力承諾「政府擔保所有民眾銀行存款」，避免了因恐慌而產生的災難擠兌。雖說劉兆玄的「博士內閣」被一場颱風帶來的世紀豪雨沖垮，然其磊落硬朗的擔當，卻使其支持度在辭職之際攀升至上任以來的最高點66%，但他全無忸怩作態的政客身段，堅持必須以最高行政首長的職位為小林村四百六十二位罹難同胞負起政治責任。最難能可貴的，他早已決定辭職，卻隱而不宣。先前進災區坐鎮指揮救援安置，在災後一個月內完成九成的災民安置與慰問金發放，同時重建規劃，完成《重建條例》立法程序，還創造一個官民合作重建家園的新模式，而後在風災滿月前夕召開記者會宣布辭職。他辭職後五個月，慈濟功德會興建的大愛村首先落成，遷入六百戶災民，兩年後全台已完成安置一萬五千多人。

稍事回顧一下這些當年真正利民福國的執政者，可以說沒有苦民所苦的仁心，就沒有拯民於水火的仁政。日據虐政被台獨學者美化吹捧，國民黨「威權」下的仁政卻迭遭曲解，島嶼上的人們已然失去了對黑白的辨識能力，更失去了傳統文化內蘊的對仁政的記憶與判斷嗎？

四、新台灣模式與仁政的距離

什麼是「仁」？什麼又是「仁政」？孟子說「惻隱之心，仁之端也」，韓愈〈原道〉說「博愛之謂仁」。因此，可以說，「仁」，是身而為人，對廣泛他者的悲憫與愛，那麼「仁政」自然就是執政者對其子民眾庶的悲憫與愛。「有不忍人之心，斯有不忍人之政」，「仁政」的關鍵不在任何形式制度，而在其初心是否以民為本位的思考，其施行是否以民之苦樂為依據，最基本底限，起碼是保障百姓生命與生存安全。以此衡之蔡蘇體制下的「新台灣模式」，口號漂亮，執行無策，放任疫情，幾近全面失靈。宣稱以「減災」為目標，結果是一再「減」居隔限制，致「災」情一洩千里不可收拾，為「兼顧國家經濟和國人生計」而不可得；其心尤可誅者，是刻意隱瞞民眾要付出許多生命為代價。在病毒彌漫，擋無可擋的恐懼氛圍中，試問人們要如何安心營生？國家經濟又當如何增長？即便增長，亡者已無福消受，生者又情何以堪？

這個標榜「穩健開放」的蘇內閣，官員上下口徑一致，大肆宣傳輕症不足畏、只是大號流感、群體免疫、無敵星星……，一再誤導民眾鬆懈戒備。當疫情海嘯狂潮一波一波襲捲而來，死亡重症數字節節攀高時，民眾才驚覺：原來「穩健開放」那麼殘忍，再「積極」都防不了疫，根本無法「正常生活」。輕症也並不那麼輕，病

勢若不及早控制，本來該在99.6%的人就可能陷落到0.4%的地獄，這0.4%中若出現自己的親人或就是自己，那麼這小到似乎不值一哂的數字，就顯得椎心刺骨了！其致死率居然高於流感十多倍，老人家及慢性病患極度危險，多少人一旦染疫幾乎毫無機會？引起的併發症多不可勝數，小孩更易誘生「多發性炎症」，有藝人感傷「好多孩子就這樣走了」，居然引來蘇大院長要「究責查辦」，之前要求民眾「自主應變」的陳大部長則威脅「散播疫情謠言最高罰三百萬」，而後媒體報導我們的兒童死亡率是日本的十倍，衛福部居然向民眾宣導：孩子高燒到四十一度才有腦炎可能，再去醫院。不論大人小孩，被一連串錯誤的訊息誤導，以致延誤送醫或延遲用藥，多少冤魂枉死，怎麼不是「好多」呢？「好多」、「輕症」，到底誰說話不精確？到底是誰引導認知作戰？到底民眾最該認知的是什麼？

從「新台灣模式」開啟以來，死亡人數成千成千上揚，0.4%中的死亡人數在兩個月內具現為七、八千人，如此怵目驚心的場景，危如累卵的民命，卻並未引起蘇內閣一些些怵惕惻隱的悲憫之心，指揮官面對記者還大言不慚自誇「控制得宜」，「得宜」到指揮中心成了病毒中心，防疫核心官員接連染疫。「五漢廢言」僅存一漢主持記者會時，針對防災的抗疫重物竟出現假快篩，竟輕描淡寫的說「有些措施只能防君子，不能防小人」；而職司把關之責的食藥署長官甩鍋卸責「不是該譴責違法廠商嗎？」取得政府緊急採購許可的廠商僅占申請總數的10%，通過審核的廠商竟有小吃店、遊戲公司、墨水匣公司⋯⋯近三分之一不具備醫療相關背景⋯⋯，對民間以公文舉報假快篩，食藥署已讀不回，直至爆出新聞，官員仍強勢推諉，無人略表歉咎，遑論負責！關於這一切防疫的不作為或亂作為，算不算「草菅人命」？是不是「官僚殺人」？從三年

前疫情初起，到如今疫情暴興，人們一再經歷口罩之亂、疫苗之亂、快篩之亂；藥物不夠、病床不夠，醫護人手不夠，不夠不夠不夠……，幾乎所有抗疫物資一應俱不全，超落後部署。全世界用了兩、三年的時間為我們搬演的種種劇本，完全不被蘇內閣的防疫官員看在眼裏，指揮官說「靠著我們的氣質可以打敗病毒」。現在眼看新的病毒變異株又已登堂入室，正是一波未平一波又起，人們已完全失去免於恐懼染疫的自由。

《左傳・哀公元年》：「國之興也，視民如傷，是其福也。」看來中華民國危矣殆矣！因為這個政府視「已傷之民」如芻狗，2021年初用最嚴格的標準防堵小明們返台，毫無人道考量；可口罩備量不足致民眾必須大排長龍，蘇貞昌則說「買口罩要排隊，買早餐也是要排隊」；2021年中，立委質疑疫苗購買及施打延誤，蘇說「你買不到雞腿會怪自己嗎」、「我沒打（第二劑）也沒事，不急」。三年來，只是每天「穩健」地開記者會，確診人數越多，居隔限制越「開放」；它「穩健」地設計口罩實名制、快篩實名制；「穩健」地阻擋各方捐獻疫苗、篩劑；「穩健」地拖延各家唾液快篩申請案，結果唯一得標廠商進口的篩劑卻驗不到 Omicron；它「穩健」地操控輿論，嘲諷風中雨中排隊的「快篩乞丐」……。孟子說的「仁民而愛物」呢？這個政府只「愛物」不「仁民」！「使民養生喪死無憾」不是施政的基本要求嗎？這個「穩健」的政府，甚至製造了火化之亂，任由百姓凄絕哭嚎，而總統抱著寵物關注知名藝人產女、要求為他國政要之死降半旗，卻對枉死民眾未置一詞；行政院長只會要民眾「收心」，在國會對立委咆哮「叫什麼叫」、「吵死了」、「不要臉」。這個政府憑藉這種既無賴又傲慢的口吻、冷漠又無情的嘴臉來執政，再時不時搬出民主自由的大旗

以強化它的合法性，卻漠視其治理績效，更徹底罔顧傳統政治中，身為父母官最基本的解民倒懸的責任，更別提「不忍人」的悲憫情懷了！它似乎完全不屑我們文化中最可貴的「老吾老」、「幼吾幼」的人道關懷，所以染疫而逝最多的是老人與小孩！而它，是我們一票一票選出來的，卻「民之憔悴於虐政未有甚於此時者也」，這是民主自作自受的魔咒嗎？

執政者不具愛民如子的仁心，又何來苦民所苦的仁政？蔡蘇體制防疫靠廣告、靠口號，官員靠巧舌機鋒、靠倨傲鮮腆，一步步將民眾帶入疫情的深淵。在去中國化的意識下，「中華民國台灣」的執政黨，以美式「民主自由」的價值取代了傳統政治哲學的仁政理想，所有施政考量以騙取選票為上，以虛幻的台獨夢蠱惑民眾，煽動民粹思想，宣揚狹隘的本土民族主義，豢養網軍為施政不利轉風向、帶風向。漠視民生疾苦到極致，大凡和民生相關的問題，漫不經心，以致錯錯錯亂亂亂，而上下官員一律向蔡蘇風格看齊：凡事死不認錯，一意孤行到底，滿口硬拗到底。輕蔑民命關天，以萊豬、核食換取他國空泛的口頭支票，甚至聲稱「美國連太空人都吃（萊豬）」，改核食為「福食」；在野時是反萊豬大將的農委會主委陳吉仲竟把萊克多巴胺安（俗稱瘦肉精，Ractopamine）比做保健食品；2022農曆年前爆雞蛋荒，直到六月超市買蛋仍只能一次限兩盒，而主委四月就宣布供需已接近正常；明明無力穩定供電，卻要廢核燒燃煤，逼民眾用肺發電，可還是一天到晚跳電、無預警停電。再以轉型正義為名，掠奪民間團體資產，如婦聯會、如水利會、如救國團，甚至如國語日報，不遺餘力的把法制當成鬥爭奪權的工具。非法成立數十個委員會，大肆封官破壞文官制度，以「東廠」型態監控迫害民間反對聲音、關閉電視台、禁兒童讀物、操控媒體、箝制言論……六年來罄竹難書的種種作為，令人完全掂不出

人民在執政者心中的分量！而今病毒方熾，人心煎熬，人命危淺之際，蘇貞昌想的是「打贏防疫的選戰」；蔡英文則配合美國不斷玩弄戰爭的火苗，甚至接受並宣揚巷戰衛土的荒唐策略。到底這蔡蘇聯手導演的島嶼悲劇伊於胡底？仁政與我們的距離何其遙遠！

五、美式民主接近仁政嗎

「中華民國台灣」的這個政府，一切以美國為師、為父、為尊，其堅持所謂的「民主自由」，不過是拾美國模式的牙慧。而美式民主，除了一人一票的選舉操作外，真的「以民為主」了嗎？除了政客為其政治利益而不時煽動的群魔亂舞式的「自由」，人們真的自由了嗎？當小我的個人自由彼此之間，或與大我公眾的自由相牴觸時，「自由」帶來了多少傷害？當「美國優先」、「美國利益」為一切考量依據時，國際間的交流互動還有自由嗎？事實向世人證明，美式民主，不論在其國內或國外，充滿了雙標的、無法自圓其說的矛盾，也為世界帶來無數困境。當然，不可否認，二十世紀中葉，二戰之後的美國，在羅斯福新政（The New Deal）的奠基下，曾有過一段「純真年代」的民主自由。然而，隨著美國「民主國家兵工廠」的角色不斷擴張，為了讓「工廠」可以不停開工，一條現代軍工複合體生產線，逐步產業化、集團化。於是，曾經協助世界成功反抗法西斯國家侵略的美國，卻也質變為以民主自由為包裝的法西斯國家，為其國內釀製了幾乎隨時觸發的無數槍擊慘案；它更入侵世界許多與美國價值不合的國家，製造擢髮難數血肉模糊的人間煉獄。

根據統計，1968-2017，五十年間，美國國內產生了一百五十萬的槍下冤魂；而近在眼前的2022年前一百四十五天，就至少發生

了二百一十三起大規模槍擊濫殺案，最使人動魄驚心的是，德州小學二十一個學童，無辜命喪於甫成年的十八歲少年狂躁的槍口下。這些響徹耳際、層出不窮的街頭、超市、教堂、校園槍聲，讓人不禁要問，美國還有安全的角落嗎？一向是美國政策傳聲筒的《紐約時報》（The New York Times），也憤怒的撰文嚷道「連兒童都不願保護，美國算什麼文明國家？」文中更提到：美國平均每天三百二十一人中槍，「沒有什麼比政治體制允許美國發生持續不斷的大規模槍擊事件更野蠻的了！」這根本是一個暴力帝國！偉大的美國憲法保障擁槍者的權利，卻無視升斗小民免於恐懼的自由；而政客既無心解決，也無能為力。誰能抗拒有四百萬會員（包括製造商、批發商、零售商）財力雄厚的美國槍枝協會（National Rifle Association, NRA）呢？至今，美國有八位總統曾經是或仍然是槍枝協會會員；每到選舉，協會就編輯投票指南，要求會員評分，標準是候選人對槍枝的態度傾向；協會還大有能耐影響大法官任命，大法官掌握憲法解釋權，而大法官需總統提名、經參議院任命；不論總統、參議員都由選舉產生，選舉需要經費，協會相關的龐大利益集團打著「非營利組織」、「維護民權」的幌子，成為國會最有影響力的游說集團之一。因此縱使槍聲隨時響起，人命處處斷魂，也少有政治人物敢批協會之逆鱗。

即使有極少數的政壇良心，如2019年9月，舊金山市議會，把協會定性為美國國內恐怖組織，輿論也支持，但毫無約束力，更無傷禍首於分毫。最荒謬的是，德州小學慘案才發生，美國全國步槍協會就立刻大張旗鼓地在德州舉辦會員大會，為槍枝泛濫進行辯護，舉行槍枝展覽，推廣射擊訓練，川普（Donald Trump）和共和黨議員都堂而皇之跳上台發表談話，當然德州州長也是會員。這種

蔑視人命與輿論的行徑真叫人瞠目結舌，而他們的邏輯聽起來也很在理：錯不在槍。是的，錯不在槍，在政治，在體制──野蠻的體制，哀哀萬民只能「自主應變」，所以一發生槍擊案，槍枝銷售就激增，有人粗估美國槍下亡魂的數字，約等於其國內每年發生一次阿富汗戰爭。偉大的美國全世界去檢查他國的人權，卻只在其國內維護能提供政治獻金者的人權，偽善矯情真是莫此為甚了！毛澤東說「槍桿子出政權」，或可貼切的用來比譬美國今日的民主自由。

　　對國際政治略有所知者，大概都不會否認美國是今日世界的頭號戰爭販子，其軍工產業更大的利潤，來自美國在世界各地或明或暗發動或策動的戰爭與代理人戰爭。美國動輒以民主、自由、人權為名，入侵價值理念與其不合的國家，真正原因往往是該政權不接受美式民主的殖民與經濟掠奪，如拉丁美洲與中東反美國家等。美國學者威廉‧布魯姆（William Blum）即直指「民主是美國最致命的輸出」，他說二戰結束以來，美國試圖推翻五十多個外國政府，粗暴干涉至少三十個國家的民主選舉（想當然爾也包括「中華民國台灣」）。根據美國布朗大學的研究報告，2001年以來，美國以反恐為名發動的戰爭和開展的軍事行動已奪去八十萬人的生命，僅阿富汗、敘利亞、伊拉克等受害國家就產生了超過二千萬的難民。發生在當下2022年的俄烏之戰，百日內又製造了超過五百萬的難民，烏克蘭國土一片糜爛，而它只是美國藉以拖垮俄羅斯的棋子，用過即丟，美國的軍工集團則賺得盆滿缽滿，此時此刻的美國國內則通膨高漲，生活痛苦指數爆表。在2010年去世的美國知名亞洲研究學者查默斯‧約翰遜（Chalmers Johnson），在他生命最後的重要作品《帝國的瓦解》（The Sorrows of Empire，另譯《帝國的悲哀》）中，沈重的批判美國在世界的角色，他聲稱美國在全世界

七十多個國家設有七百多個軍事基地，試圖建立一個全球帝國，並為此付出沈重的代價，而美國政府在國外進行的大量非法行動，對美國公眾完全保密。藉強大的軍事力量，致力於打造全球霸權，以獲取全球經濟的控制權，美國，的確已經變成披著民主自由外衣進行新殖民主義的「新羅馬帝國」。

這個帝國的民主形象更在病毒肆虐的三年中崩塌，疫情一起，染疫與死亡人數迅速狂飆，一下就躍升為全球第一，大家才赫然發現偉大的美式民主體制幾近失能，全美有超過三千萬人沒有醫療保險，染疫生病住院會傾家蕩產，所以只能等死，因而病死民眾多為菁英統治階層眼中的低端人口。當防疫與死亡人數很快失控後，美國政府也很快選擇躺平，與病毒共存，幾乎放手讓老窮病殘進入「適者生存」的生物自然競爭狀態。中研院吳仲義院士在一場線上演講中提出「無症狀感染者是最大的病毒散播機」，必須盡量發掘，對其進行有效的行動限制與醫療，才能控制無上限的不斷感染，也才能遏制大量生命消逝的慘劇。然而美式民主的政府對此似乎不甚了了，也無所作為；號稱自由的媒體則興趣缺缺，不甚關注，他們卻對遙遠他方「血棉花、強迫勞動」的傳言，表現出狂熱的「正義激情」。至於非主流的醫界科學界諍言，呼籲引進廉價而有效的治療，讓所有生命可以獲得平等的醫療權，如印度、拉美、非洲等較貧窮打不起疫苗的地區，使用伊維菌素獲得普遍積極的救命療效。然而這些聲音與主張，被這個民主自由的政府，聯手生技藥廠集團以及主流媒體，全面打壓、禁聲，甚至處罰。生命、人權、人道相對於財閥利益多麼微不足道，原來民主自由的機制中，錢、權、勢的利益集團才是高大上會被珍惜保護的，而「中華民國台灣」政府亦步亦趨追隨其後，自甘被宰制。

疫情也使美國社會的多年沉痾，更尖銳的被逼現於人們眼皮底下：在一樁又一樁白人警察執法過當誤殺黑人，引起「黑人的命也是命」（Black Lives Matter）的運動之火，燒遍全美，多年不稍歇，世人也才驚曉：雖然美國選出了首位黑人總統，但根深柢固的種族主義卻更變本加厲，毫不遮掩白人至上的川普當選，直接掀翻了種族多元平等的虛假鍋蓋；疫情蔓延，使歧視大悶鍋開炸，只是亞裔，尤其華人（台灣人不會因為自稱「台裔」而得豁免），成了白人黑人聯手霸凌的對象。原來上世紀60年代黑人民權領袖金恩博士（Martin Luther King, Jr.）的「我有一個夢」（I Have a Dream），在一甲子之後，在美國仍是一個白日夢！美式民主給了所有膚色公民一人一票，但所有有色人種得到了免於被歧視侵害的自由嗎？

千瘡百孔的美國，還有著林林總總數之不盡的腫瘤，美國文化不懂仁德，政客在新自由主義的旗幟下，大大方方的和自由資本站在一起，自自然然的配合財團的需求，仁政，別傻了！美式民主已近失能、不廉，誠如《紐約時報》的記者說「美國變得無法治理」，「新羅馬帝國」的崩毀也許不遠，只是被殃及池魚的世界人民，該如何避逃這美風霸雨造成的世紀災難呢？

六、結論

不談西方的納粹、法西斯，就從我們自己的民主經驗來看，事實證明了：民主獨裁是被縱容出來的，而且無法期待有利國福民的仁政作為；這獨裁政權是透過一人一票的選舉機制獲得合法性，所以當完全執政走向完全腐敗、完全失能時，人民只能啞巴吃黃連。期待下一次選舉，政黨輪替嗎？面對所有聰明才智全部發揮在選舉

精算上的民進黨，可憐的島民們恐怕要做好被他們長期執政的心理準備，更不用說他們運用了諸多或明或暗的手段，剝奪了人民反抗的權力與管道。即使不然，在黑心政客和盲目選民、墮落媒體、破碎課綱長期的交錯作用下，台島的崩壞也非一朝一夕可挽。我們若沉靜下來，細思追索，拋開意識型態的枷鎖，探探島嶼的前世今生，理性會幫助我們察覺：台島四百年的開拓史中，當人們自居是中國文化的繼承者、傳播者、發揚者時，生活是幸福的，前途是光明的，不論是明鄭、或清領、或所謂的威權時期。尤其兩蔣時代，相對於彼岸文化大革命的大破壞，台灣就是繼道統、傳斯文的傳統命脈、文化正朔寄託所在的寶島。不但政治呈穩定，經濟創奇蹟，文化、教育、藝術等領域更在中華文化復興運動的奠基與推波助瀾下，成為全世界華人的領頭羊，自詡為龍的傳人的年代是我們最輝煌最驕傲的年代。而今在近三十年漸進式的去中國化教育之後，吾人也不難發現：抽離了文化中國，台灣人失去了薪傳優質傳統文化的能力，也失去了民族自我的靈魂。

我們刻意斬斷歷史或扭曲歷史，年輕人不了解真正的歷史，不知道我們從何處來、怎麼來，就無法明白確知該往何處去，只能隨波逐流，擁抱被長期誇大宣傳的西方價值，尤其造成如今台島莫大困境的美式「民主自由」。當我們全心信仰直選式的民主為普世價值時，我們就看不到所有選舉投票時的不理性因素嚴重干擾，或者不以為意，因為我們以為我們作主了；在話語權被主流媒體全面壟斷時，我們更看不到西方自由主義充滿了例外雙標；也想不到結合了資本主義之後，民主根本是為有錢人服務的制度，自由是財團的自由。所謂的選舉是一場又一場的表演秀，在今日台灣的選舉秀中，最夯的戲碼是抗中保台。而今天的「中」，無可抗，它早就回歸優質傳統文化因而崛起；「台」，則無可保，因為我們快要掏空

自己，又不加揀選的吸納充滿基因缺損的美式文化，包含政治經濟社會思維。

我們幾乎是自取滅亡！只有文化覺醒，回到文化中國去浸潤濡染，重認中國，我們才能知曉傳統文化的政治思維，是追求人民利益最大化的人本主義，就是仁政；我們才不致選出一個劊子手政府。否則，我們不必妄想高高興興的投票，就「自自冉冉」的當家做主。只有珍視並實踐傳統文化價值的政府，才會以百姓的生命權為最重要的人權，不論它採行任何制度。我們國土並未淪亡，但土壤已遭嚴重污染異化，我們成了失根的蘭花，飄零在西風美雨的民主末日中。島嶼「覺青」啊，我哀其不幸，怒其不覺！

台灣的抉擇❸──人民有權？政府有能？

民主政治如何實現責任政治

閔宇經

不要承擔你完成不了的事，但一定要信守承諾
——喬治·華盛頓

一、前言

　　英國《經濟學人》（The Economist）公布了2021年《全球民主指數報告》，在一百六十七個評比國家中台灣排名世界第八，位列完全民主（8-10分）國家，不僅是歷年來最佳名次，也在亞洲國家中排名第一。這份報告主要由六十個問題組成，分成五大面向：選舉程序與多樣性、政府運作、政治參與、政治文化、公民自由，部分問題由該國民意調查獲得，其他則由專家來評估。

　　「民主」遠從希臘城邦時期發展而來，對「民主」最簡單的字面上解釋是「人民做主」，意即民主政治就是民意政治，此外民主政治也是法治政治、責任政治與代議政治；人類迄今或許無法對「民主政治」做出終極性的霸權解釋，但《全球民主指數報告》的五大面向不失為對「民主/民主政治」的一般性描述。

　　在《全球民主指數報告》六十個問題中，其中一項為「是否有足夠的機制和機構來確保對選民負責，執行選舉承諾」；從某個角度而言，「負責與課責」或許就是民主政治的起源；本文順此理路，從契約與責任入手，申言民主政治應如何實現責任政治。

二、民主政治的契約課責

雖然「契約論」並沒有歷史上的事實，純粹是盧梭等人理論上的演繹與想像，但是「契約論」的思想概念卻主導了現代民主政治的濫觴與發展，並在以實施總統制的美國和內閣制的英國獲得制度上的實踐。

契約的有效在於當事人雙方忠實誠心地信守與執行，然若當事人一方違反時，在現今的社會中可由公正第三方（可能是國家）予以協商、仲裁甚至是賠償、處罰。可是當「政治契約」的簽訂雙方是極度不對稱的人民與國家時，就會發生如孫中山所描述的：「現在講民權的國家，最怕的是得到了一個萬能政府，人民沒有方法去節制他；最好的是得到一個萬能政府，完全歸人民使用，為人民謀幸福」，變成民權發達國家的多數政府是無能的，民權不發達的國家政府是有能的。雖然在契約論的原始構想中，最極端主張包括人民有權以革命的手段去推翻違反契約的統治者，但在現實世界卻要付出極為慘烈的代價，更可行的做法是在民主政治中保有各種內、外控的責任監督機制設計，以踐行「人民才是國家主人」的理想。

孫中山曾在《民權主義‧第四講》分析了近代人類爭取民主歷史過程中曾經出現過三次民權的退卻或障礙，分別是：美國革命後贊成政府集權的遮化臣（按：即傑佛遜）那一派獲勝；法國革命後人民濫用民權變成暴民政治；德國俾斯麥用巧妙的手段（按：採用國家社會主義的手段）去防止民權。孫中山所談的「民權」具有民主之意（按：《民權主義第二講》中直譯為「德模克拉西」），並在《中國革命史》中說到：「余之民權主義，第一決定者為民主，而第二之決定則以為民主專制必不可行，必立憲而後可以圖治。」唯有民權的完全實踐才能呈現圓滿的民主狀態，因此孫中山以思患預防方式設計出民主制度的核心理論——權能區分。

孫中山整個民權制度的理論設計集中在權能區分、專家政治、萬能政府……等項，這些理論具體的實踐落實於五權憲法。在組織設計上，他矯正了西方三權分立的流弊，將考試（權）和監察（權）獨立於行政、立法、司法之外，形成世界上獨有的五權分立制度；在人員的資格上，他主張凡官吏和議員須經考試或銓定其資格，確保其智識或能力適才適所；再經由「世界上學理中的第一次的發明——權能區分」去耦合專家政治與萬能政府，如此才是一個完全的民權機關，也是世界上最良善的政府。

　　「權能區分」的理論，簡而言之，是人民掌握選舉、罷免、創制、複決四種政權（人民權），政府掌握行政、立法、司法、考試、監察五種治權（政府權），前者是管理政府的力量，後者是政府自身的力量；人民可依選舉權和罷免權將官吏「放出去或調回來」，而以創制權將有利於己的法律交給政府去執行，以複決權去修改不利於己的法律。

　　由以上觀之，「權能區分」就是具體而微的責任政治設計，在西方三權分立的基礎上，矯正制度流弊的同時也兼顧了民主的效率與效能。

三、責任政治常見的設計和運作

（一）憲政體制方面

　　民主政治中常見的責任政治設計，首先是「對人」的「選舉制度」；其次，在定期選舉之外的不定期「公民投票」或「公民複決」，則是人民「對事」的直接決定。

　　人民選出行政首長或是議員（代議士），讓行政權對立法權

負責（例如英國），或是讓行政權與立法權相互監督制衡（例如美國），並透過定期的選舉來檢視對選民所提出的政策或所託付的允諾是否達成，並以再次投票來決定其是否續任，因此有任期的選舉是責任政治的基礎。

近期的例子，英國首相強生（Boris Johnson）三年來因為脫歐、壁紙門（用公帑裝潢）、派對門（疫情期間舉辦飲酒派對）……等醜聞和爭議事件不斷，終招致五十多位閣員逼宮辭職下台，對於實施內閣制的英國而言，內閣閣員本身具有議員角色，失去了閣員的支持也意味著間接失去民意的支持，首相強生選擇自己辭職下台展現政治責任。

（二）人員層次方面

可分為政治責任與法律責任兩個部分。在法律責任上，政務官和事務官在違背法令時，將會有對應的行政、刑事和民事責任；例如在事務官部分，有「公務員服務法」、「公務員懲戒法」、「公務員考績法」等對於公務員的行為、兼職和操守（關說之禁止、贈受財物之禁止……等）都有基本的規定和處罰。

而政務官若是違背民意、政策執行不力、決策錯誤時，通常以道歉、辭職、或被罷免等方式呈現政治責任。過去大家所熟知的案例如民國66年（1977年）時任教育部長的蔣彥士，因蘇澳港翻船造成三十二名大學師生死亡而引咎辭職；民國72年（1983年）豐原高中禮堂倒塌造成二十六人死亡，時任台灣省教育廳長黃昆輝辭職以示負責；民國89年（2000年）嘉義縣八掌溪因山區大雨後暴漲，四名工人在電視新聞畫面不斷地播送下，仍未能成功救援而遭洪流沖走，時任行政院副院長游錫堃辭職下台，這些事件均屬於政務官概括承受政治責任而辭職下台。

（三）政治系統方面

在政治系統論的概念上，政府以政策或法律回應民意（Public Opinion，按：又稱輿論）是維持政府自身合法和合理性，以及穩定執政的重要憑藉；個人的單獨意見通常由大眾傳播媒體、利益團體或政黨匯集成更大的團體意見，民意調查通常是探知社會民意的方法之一，但是本應中立客觀的統計數據，卻可能成為有心人士左右民意的工具。

傳統的大眾傳播媒體（如報紙、電視、廣播）被期待以公共利益的角度發掘公共議題，以客觀中立的立場扮演「議題設定」和「守門人」角色，通常在行政、立法、司法三權之外被稱為「第四權」。

然而在網路社群媒體時代，人人都可以是自媒體，大大沖淡了大眾傳媒的第四權影響力，民意探測的方法也增加了大數據探測與網路聲量調查等方式。在「去中心」的傳播環境下，政府不再是「被動」的民意接收者，更是政策與新聞的「主動」引導者和產製者。政府超前影響、操控、布署輿論，影響所及，選民各種自由多元的意見，已經從傳統的「完全競爭市場」被操弄進入到寡占甚至是獨占市場。

四、責任政治在台灣

民主國家在責任政治的各種設計和運行已歷經幾百年，亦為成熟的公民社會所接受且習以為常。

台灣雖然在2021年《全球民主指數報告》中排名世界第八，位列完全民主（8-10分）國家，但諸多學者專家咸認為在憲政體制上，台灣的責任政治早已面臨下列幾項問題：

（一）總統與行政院長權責不清

歷次修憲以來，中華民國憲法已難以劃分為絕對的「總統制」或「內閣制」，論者認為修憲的結果造成總統有權無責，行政院長變成總統的執行長。雖然總統在憲法中「為決定國家安全的大政方針，得設國家安全會議及所屬國家安全局」的這項權力，其決議勢必需要透過行政院所屬各機關執行才得以落實。因此在憲法的設計上，總統的權限大多是虛位元首的權力，行政院長才是最高行政首長。

但在實務運作上，前總統李登輝時期，曾有「總統執掌兩岸、外交與國防，行政院長負責內政與經濟等事項」的說法，更是突顯總統與行政院長之間權責不清的問題。另外，為了避免總統與行政院長為不同政黨，造成左右共治現象，修憲後的行政院長已不需要立法院同意，而由總統直接任命，且由行政院長直接面對倒閣與解散的政治風險或結果，總統在享有虛位元首以外的「超額權力」時，卻沒有相對應的責任制衡設計。

特別是總統在憲法制度的設計上，掌握五院多項人事提名權，如又兼任政黨主席時，更是掌握地方至中央各項公職人員的黨內選舉名單，成為「超級總統」。英國史學家阿克頓勳爵（Lord Acton）傳誦於世的政治名諺：「權力可以使人腐化，絕對的權力使人絕對腐化」猶言在耳，那麼絕對的權力，當然需要絕對的監督與制衡。

其解方當然是從憲政體制上根本釐清總統有權無責的政治笑話，但是憲法是各種社會價值、國家認同等權威性分配的最終決定，其修改具有高度的政治性和妥協性，但是我們從歷次修憲的過程中，可以觀察到兩種現象：其一，為了達到執政，在野時期以裂

解執政黨為目的，執政後為鞏固政權，似乎罹患了選擇性的「失憶症」，政治「雙標」極其嚴重，故意忽略忘卻甚至反對當初的修憲主張，例如長期反對監察院和考試院的設計，但是執政後卻大張旗鼓提名監委、考委等人選；其二，每一次的修憲都是高度（甚至是過度）的社會動員，甚且政黨為了遂行其政治目的，往往以仇恨和悲情動員，每一次修憲的結果，往往產生撕裂族群和戕傷社會——永難撫平的後遺症。

（二）罷免彈劾的設計形同具文

若是無可期待以修改憲法的方式釐清總統權責不清的問題，至少總統的罷免或彈劾可形成另一道責任政治的防線。通常在民主國家，總統在任期中掌握國家機器，觸犯法律的責任非經罷免或解職，實在不容易追訴，而且就算是彈劾或罷免，也有非常高的門檻設計，因此除非總統的政治責任或道德非議非常重大且明確，總統被彈劾或罷免的可能性相對較低。

根據《中華民國憲法》及增修條文的規定，對於總統的罷免，須經立院全體委員四分之一以上的提議，全體委員三分之二之同意，並經中華民國自由地區選舉人總額過半數之投票，有效票數過半數同意罷免時，即為通過。雖然在總統罷免制度的憲政設計是以政治穩定為主要考量，但這種二階段的設計顯現出政治良心或普遍的共善極易在立法院第一階段的政黨政治運作中被埋沒，若是進入第二階段的罷免投票，也會產生當選票數和罷免票數比例失當的現象。

以前總統陳水扁的國務機要費等案為例，當時的在野黨依據《總統副總統選舉罷免法》提出罷免案，在政黨政治的運作下，

執政的民進黨立委均以不出席立院會議因應，致使罷免案投票人數無法通過同意罷免三分之二門檻之一百四十八票而不通過，儘管在2006年8月「百萬人民反貪倒扁運動」（紅衫軍運動）的強大民意壓力下，仍然無法使陳水扁前總統辭職下台。

值得一提的是，近期執政黨掌握立法院多數席次，於2022年5月30日三讀通過「會計法第九十九條之一」修正，也就是所謂的「國務機要費」除罪化修正，若依據《刑事訴訟法》第三〇二條第四款規定「犯罪後的法律已廢止刑罰者，應諭知免訴之判決」，7月15日高院更二審即做出「免訴」判決，陳水扁前總統國務機要費案已然宣告結束；對此，社會各界包含媒體、社運、學者等評論意見幾希猶若噤聲，對照十六年前「百萬倒扁紅衫軍」的昨是今非，國務機要費終於贏來了「歷史的」轉型正義。

眾所周知，美國總統尼克森（Richard Milhous Nixon）政府因「水門案」（Watergate Scandal）違法監聽，在強大的民意及跨黨派的支持下，於彈劾案即將過關之前自己辭職下台，成為美國歷史上唯一在任期內辭職的總統；川普（Donald John Trump）總統是美國歷史上前後兩次遭眾議院彈劾的總統。由這些事件過程和結果來看，各方雖發動媒體戰企圖影響選民的認知，但仍然有執政黨的議員不被政黨綁架而做出基本的良知判斷。比較美國的「水門案」與台灣的「國務機要費案」，同樣在政治與法律的糾葛中，顯然我們的立法委員需要更多的道德勇氣。

在憲法的增修條文中，總統的彈劾案由立法院提出，聲請司法院大法官審理，並經由憲法法庭判決始能成立。我國迄今雖無總統彈劾案通過的案例，但是由前述彈劾案的案例和台灣目前的媒體環境來看，很難期待立法委員能擺脫政黨的綁架，回到民主政治的原初基礎——契約與課責——做出判斷與選擇。

184

台灣的抉擇❸──人民有權？政府有能？

白領菁英犯罪背後通常有著強大的政治或經濟力量予以掩護，事件發生當時很難偵查或追訴，例如發生在2014年南韓朴槿惠總統任內造成三百零四人不幸罹難的「世越號事件」，一時間各種政治陰謀論，例如為保政權阻礙調查、打壓輿論、封殺不利政府言論的人士……等各種政治陰謀傳言不斷，直至朴槿惠下台後，2019才組成正式調查小組。基於正常體制內無法解決問題，美國嘗設有獨立檢察官制度，係水門案件後針對高級行政官員（包括總統）違法犯罪進行偵查和起訴，希望在保障獨立檢察官身分不受侵擾的情形下獨立行使職權，在美國歷史上二十一年間曾八次啟動該制度，旋因可能造成另一種濫權情況，終至於1999年走向終結。

　　台灣亦曾於2007年成立類似的組織「特偵組」（最高法院檢察署特別偵查組），專責偵辦總統、五院院長和立法委員等人的貪污或經濟犯罪，偵辦的著名案件有陳水扁總統的「國務機要費案」和馬英九總統的「特別費案」，終因職權與既有組織扞格等因素於2017年廢除特偵組。

（三）政務官下台淪為自由心證

　　政務官的法律責任因有法規範的明確規定而較無爭議，但是政務官的「政治責任」卻無絕對的標準，通常以「慣例」，或以民意與心證角力的結果決定去留。

　　例如，2018年10月21日台鐵宜蘭線的蘇澳鎮新馬車站旁發生的普悠瑪自強號列車脫軌事故，這起因司機員專注於趕路與排除故障，致使未能注意過彎道車速過快而脫軌，造成列車上十八人死亡二百一十五人輕重傷，10月23日，交通部部長吳宏謀口頭請辭，12月1日請辭獲准。

若同樣以交通事件為例，2021年4月2日台鐵太魯閣號列車，行經北迴線清水隧道北口時，與滑落邊坡侵入鐵道的工程車碰撞出軌，繼續往前擦撞隧道內壁，造成車組人員和乘客二百一十三人輕重傷及四十九人罹難。這起由假日違法施工的工安意外進而釀成交通意外事件，台鐵的上級直屬部會交通部，部長林佳龍先在4月3日口頭請辭以負起政治責任，並在事件處理告一段落後於4月20日請辭生效。

以上兩個案例，當有重大交通傷亡意外時，已然成為政務官應當下台負責的「慣例」。但另以影響台灣和世界甚鉅的新冠肺炎來看，至今國人累計死亡已達萬餘人，是否有人謀不臧而應追究政務官的政治責任？不能以防疫為藉口而侵害人權？儘管輿論有微弱的聲音出現，「正因防疫時，莫敢捋虎鬚」，台灣社會正常應該出現的課責機制，遲遲未能啟動。

兩年多的防疫政策或措施，啟人疑竇的決策至少有：1.放寬機組員「3＋11」事件造成社區群聚感染擴大？開放三天居檢和十一天自主健康管理的會議到底真實情況為何？其內部行政調查的說法依然無法服眾；2.號稱「超前部屬」，但是社會各界對於疫苗、快篩、藥物……等準備明顯不及的質疑不減；3.食藥署在審查快篩劑EUA廠商的資格標準到底為何？致使獲准可以進口的廠商背景為社會各界譁然，甚且有以假貨混充真貨的犯罪事件發生。

這些決策上的疏忽甚至疑似違法事件，媒體新聞工作者無法善盡「議題設定」和「守門人」角色持續追查，致使這些侵害國計民生與公共利益之事一再發生；也不見監察院主動調查，即時地還給社會真相與正義，隨著指揮中心的人事改組，縣市長選舉再至，可預見此事不僅遙遙無期且船過無痕，但是無辜往生同胞的生命正義何在？

監察院問題始終被導向於不同於西方的三權分立，反而是孫中山早已看出三權分立的弊端因而改良成五權的設計，其本質是監察院未能扮演憲法設計的角色，自我退化或自我矮化，未能超越黨派反而被黨派綁架了。

（四）第四權的失靈和輿論壟斷

從解嚴以來，台灣曾經走過媒體開放、抗爭及改革的年代，例如1992.11-1994.8台灣教授協會等十五個社團認為聯合報報導中共新聞立場偏頗，因此發起「退報運動」；1994年記者節以自立報系記者為主的團體主辦「九Ｏ一為新聞自主而走」的遊行活動，爭取內部新聞自由，於後並組成台灣記者協會（簡稱記協）；1995.2-1995.10黨政軍退出三台運動，要求政黨不能經營電視台、政府不能持有電視股分。

從後見之明來看，前述的一連串社會運動，的確打破了後威權時代媒體長期被一黨壟斷的現象，甚至間接促成了政黨輪替，對台灣民主的轉型與鞏固深有貢獻，可視為廣義「寧靜革命」的一部分，但也埋下了另一新的隱憂。

最令人感到錯愕與匪夷所思之處在於第四權監督的對象本為執政黨（政府），然而台灣在完成第三次政黨輪替的今時今日，長期監督後威權時期國民黨的諸多媒體、民間社團或壓力團體，心態卻未見「轉型」，在面對今日的執政黨時顯得蒼白無力，「失憶」和「雙標」不斷，本應基於民主的本質繼續監督政府，不但失去了監督的勇氣，反而沉溺在過去的思維中，反過來繼續監督在野黨。

目前台灣的媒體生態和現象是：當親藍勢力逐漸被驅離時，親綠勢力卻逐漸掌握新聞媒體，連應該中立的NCC都在中天電視台換照

風波和其後的鏡電視競逐五十二頻道的爭議事件中顯示雙重標準；論者更以為社群媒體充斥著各種側翼、網軍，隨時帶風向以模糊社會輿論焦點，出征網路社群不同意見以達到反對意見「清零」的效果；例如，2018年台灣旅客因颱風受困關西機場，網路鄉民群起痛罵，駐大阪辦事處蘇啟誠處長自殺，「卡神」楊蕙如操縱網軍帶風向替駐日代表謝長廷解套，該案經高等法院判刑五個月，得易科罰金十五萬元定讞。

「我並不同意你的觀點，但是我誓死捍衛你說話的權利」是伏爾泰（Voltaire）的名言，因為真理往往藏於枝微末節處，民主社會中沒有絕對真理，只有當不同的訴求在「意見市場」中表達、辯論與競逐時，才能呈現相對真理。如果媒體是社會良心的最後一道防線，至少要能保障多元聲音發聲的機會。

在社群媒體時代，真實是被高度建構出來的，而且各個社群所相信的「多元事實」是有差異的，其解方是始終抱持著懷疑的態度和精神，行到水窮處，「懷疑」雲起時；連「事實查核組織」的查核都要持懷疑與保留立場，做到「懷疑本身都要被懷疑」的地步，才不會無意識地輕易被帶風向。

（五）台灣面臨新時代隱形獨裁

在新的社群媒體時代裡，傳統民主政治所信奉的信條受到挑戰，傳統民主理論的詮釋也受到挑戰。

例如早期所關心的「政治」權力，係一種社會價值權威性分配的過程，必定在乎國家機器作用於政治過程的手段，如果「鎮壓性的國家機器」（像是政府、行政機關、軍隊、警察、法庭、監獄等）或是「意識形態的國家機器」（像是學校、教會、公會、家

庭、報紙、文化事業等）鋪天蓋地的控制著人民生活方方面面時，我們便稱呼為獨裁或極權。

如今在「監控資本主義」時代中，民主政府也做著歐威爾（George Orwell）《一九八四》（Nineteen Eighty-Four）筆下的「老大哥」勾當，從「屏幕」中收集人民的身體（生理）、情感數據，反過來製造各種訊息改變或混淆人民的認知，彷彿是歐威爾另一部作品《動物農莊》（Animal Farm）當中不斷被篡改的「七戒」，「任何動物不可殺害同類」的概念被偷換成為「任何動物可『無故』殺害同類」。從「鎮壓性的國家機器」到「意識形態的國家機器」充斥著這些似是而非、積非成是的言論，農場中講真話的動物被殺害或被流放，動物們已經分不清楚甚麼是真的？甚麼是假的？表面上民主的動物農莊，實則走向隱形獨裁的道路。

令人感到諷刺的是歐威爾的《一九八四》和《動物農莊》兩部作品本來是諷刺二次世界大戰後蘇聯獨裁政治之作，「真理部」和編寫過的「新語」，宣傳的不是真理，親衛隊的動物「小狗們」猶如社群時代中的側翼和網軍（水軍）……物換星移之後這兩部作品正好反過來諷刺民主社會中隱形獨裁的內在特質。

五、結論

民主政治的真諦應如華盛頓（George Washington）所言：「不要承擔你完成不了的事，但一定要信守承諾」，意即政治人物理應兌現競選承諾或政見，但是在混淆認知作戰中活生生地被轉化為「政見、競選支票不一定要兌現」，大開民主倒車，一切以騙取選票為手段，政治終於成為最高明的「騙術」。

人民依政治契約的假設，放棄部分權力以組成政府，當然希望這個政府能以民意為依歸，為民所掌握，為民所用，是一個萬能政府，但是很不幸的是歷史雖然不會重演，但歷史的經驗已經告訴我們「絕對的權力造成絕對的腐敗」，再怎麼良善的政府或政治人物，總是有濫權的可能，想要政治人物發揮自律的政治良心或道德卻往往不可得，以權制權的他律制度似乎才是王道。

正如前文論及，在既有的制度下，三權分立的美國無法制衡總統的擴權或濫權，因此才有獨立檢察官的制度，後來又因此制度可能引發另一種濫權而作罷。第四權的存在也是在三權之外，由媒體引導民意或匯集民意而形成的權力，但是當媒體的客觀中立性不復存在時，第四權反而成為濫權者的打手。

孫中山的權能區分，就是在學理上以權（人民權）制權（政府權）的簡單有效設計，再加上五權之間的合作與制衡，將掌權濫權的可能性降至最低，在詆毀五權分立的同時，其解方其實就是尊重制度的設計，忠實地執行職權角色。

台灣的民主何去何從？是要祭旗於綠色十字架？還是要走上隱形獨裁的道路？答案顯而易見。

對兩蔣時期台灣現代化的再思考

李炳南

> 斑駁的過去，積累成現在；甦醒的現在，召喚著未來；
> 歷史，因兩蔣而生動；兩蔣，因貢獻而長存。

一、前言

　　國民黨在統治台灣的初期，政權不穩，另一方面，又逢美國政府的背信棄義，稍後又面臨冷戰體系下海峽兩岸間長期對峙的緊張狀態，如八二三炮戰等；就當時情境言，實施西方式的民主政治，確是不宜也不妥的。即使如此，在蔣介石主政時期，國民政府的台灣現代化政策確已陸續展開，例如，光復初期國民政府的土地改革政策及其合作社制度所帶來的經濟社會本土化；又如，普遍的基礎教育制度等等都是。這些政策為台灣早期地方自治的成功實踐，提供了厚實的內生性基礎。

　　儘管如此，五、六〇年代的國民黨仍將台灣視為光復大陸的基地，大多數政策都以此為依歸。但到蔣經國主政時期，他的台灣現代化政策將大量台籍俊彥延請進入國民黨中，並外放為從政同志，這大大增加了國民黨的統治合法性。此外，他有開明的政治思維，默許反對黨的出現；有了反對黨與執政黨相互監督，台灣的政治發展漸漸出現生機。直到就任總統大位後，他認為，國民黨要在台灣這塊土地繼續生存，就必須發展台灣、建設台灣、深耕台灣。此外，經國先生晚年所提出的「政治革新」議題，更為台灣的政治運

作打下了穩定的基礎。可以說，沒有經國先生，就沒有現在的現代化台灣。以下先從蔣介石主政時期談起。

二、蔣介石時期的台灣現代化政策

（一）光復初期國民政府的土地改革政策

國民政府遷台之後，從1949年5月起開始實施耕地三七五減租。

要瞭解這個問題的重要性，不能不觸及日本治下台灣農地地租變動的情況。當時，80%以上的國民以農業生產為主，其中約有半數為沒有自己農地的佃農。至於地租的比率，以1940年的台中州為例，水田的租率最高者66%，其餘也在55%以上。這就說明了當時農地為何下跌，而某些佃農有能力向地主承購農地的原因了；結果，到1952年，購地佃農計達一萬五千四百四十六戶。

其後，自1951年起到1976年止，國民政府辦理了九期「公地放領」，總共放領十三萬八千九百五十七公頃，承領農戶二十九萬六千二百八十七戶，對創設自耕農貢獻也不小。這就好比19世紀60年代美國政府通過法案，承諾免費分配公有土地，給那些願意耕作滿五年的開拓者；一般認為，美國那次的公地放領所創設的新移民自耕農和農業結構，對19世紀後半葉美國的經濟發展起到了很大的貢獻。

最後，國民政府又於1953年初，實施「耕者有其田」，徵收地主出租之耕地，轉由原佃戶承領耕地；這項政策在同年年底完成，耕地被徵收之地主戶數十萬六千四十九戶，承領耕地之農民戶數十九萬四千八百二十三戶。設若再加上前述三七五減租後購入耕地

的農戶，有人估計，共創設了二十九萬餘戶的自耕農。此乃所謂，未種者、令種，未植者、令植，未得自耕土地者、令得自耕土地是也。

從另外一個角度看，由於農業土地之平均分布於各縣市，台灣地區的社會結構因而趨向於平等；孫中山均富思想在台灣土地分配的實踐因而有了紮實的基礎。1950年代的土地分配改革，一舉解決了日治時期遺留下來的地主階層對佃農階層的「巨寄生」（macro-parasite）問題；以是之故，有些老一輩的台灣人民，對當時台灣省政府及其背後的國民黨「感恩戴德」，認為他們是台灣再造的恩人。如果要說土地改革有什麼政治後遺症的話，那就是少數大地主及其子弟因而「移民海外成爲後來台獨勢力的主要根源」。職是之故，陳明忠甚至認爲，台獨真正的起源是「土地改革」，而非所謂的「二二八事件」。

此外，約在同一時期（1950年後），在這個數量足夠且平均分布於各縣市的自耕農群體基礎上，台灣省政府協助台灣農漁民組成農漁會團體，且自1953年起合併相關合作社的信貸功能，這進一步強化了農漁會的社會統合功能。在此「土地分配」改革之同時，以「土地改良」為目標的農田水利會組織建設也快速地進行中。筆者以為，儘管當時台灣的經濟發展尚未起飛，且教育程度尚未普及，但那些社會經濟改革措施（包括農漁會和農田水利會）為台灣地方政治派系的社會統合運作，提供了強大的社會經濟基礎；以是之故，國民黨雖然擁有大多數縣市的派系力量，但「派系中人往往派性大於黨性」，「有些派系中人表面是國民黨人，卻因對國民黨提名不滿或條件談不攏，就會暗中扯後腿，甚至暗助對手。」質言之，在當時，地方派系的分合強烈地影響著選戰的勝敗，而形成一

對兩蔣時期台灣現代化的再思考

種流行的地方性現象；根據趙永茂的研究，自1950年到1980年代初的縣市長和鄉鎮市長選舉，受到地方派系影響的縣市高達80.9%，受到地方派系影響的鄉鎮也近49.8%。

約而言之，這為早期台灣地方自治的成功提供了厚實的內生性基礎，以民主選舉需要有能力、有組織的群眾組織為其基礎之故也；這樣一來，吾人可以說，當時台灣的政治體制是一種由上而下的威權扈從體制，和由下而上的地方自治的混合體也。其中，由下而上的內源性社會經濟結構，為後來台灣的政治發展提供重要的動力。

（二）日本投降後，政府遷台前台灣省的地方選舉

應該留意的是，日本殖民時期，台灣各地只舉行兩次有限的地方選舉。第一次在1935年（昭和10年），台灣各地舉行州市議員選舉，一半議員名額由官派產生，一半名額由民眾選出，但有投票權者，僅限年滿二十五歲，年繳稅金五元以上的男性，當時全台僅有二萬八千人有投票權，占總人口不到1%；1939年又辦理一次；這是日本帝國殖民時期台灣民眾曾有的有限度選舉權，對公民意識的提高幾乎沒有任何貢獻。此後，台灣就匆忙地從帝國「皇民」時期轉向民國「國民」時期的政治體制。質言之，皇民與國民的政治價值觀並不相同，日治時期台灣民眾並未受過共和體制的政治社會化。

國民政府接受日本投降後、遷台前的1946年2月至3月，台灣省長官公署就採直接和全面直接選舉方式，選出鄉鎮區民代表，村里長。應該特別指出的是，當時的經濟環境非常艱難，而台灣省長官公署還是排除萬難，以推行鄉鎮級別的地方自治，足見其難能可貴；所謂經濟環境非常艱難，指的是戰後的惡性通貨膨脹，自1945

年8月日本投降後，由於中日交接之際的舊台幣發行量暴增，躉售物價驟升，1946年7月驟昇到6 182%的高峰。此外，應該一提的是，1946年年底，國共談判實質上已經破裂，國共內戰隨即爆發；其後更演變成冷戰體系下海峽兩岸之間長期對峙的緊張狀態。

（三）國民政府遷台後，台灣省的地方選舉

1949年遷台後，國民政府仍然繼續推動上一級別的地方自治，將地方自治層級，從鄉鎮級別往上提昇到縣市級別。縣市長選舉每三年（前三屆）或四年（此後各屆）大多如期改選；資料顯示，從1951年到1994年止，共進行十二次。其中，已不乏黨外人士當選者，茲以1977年為例，桃園縣的許信良、台南市的蘇南成、高雄縣的黃友仁、以及台中市的曾文坡都是非國民黨籍的黨外人士。至於鄉鎮長、鄉鎮民代表以及村里長的選舉，就毋庸細細說明。

整體而言，台灣的地方自治發揮了以下的政治功能：（1）自下而上來看，提供參與管道，促進政治整合；培養參政能力，參與地方建設；（2）由上而下來看，拔擢政治精英，反應基層民意；反餽地方需求，均衡建設目標；以及推動民主憲政，培育國民意識。

其中，關於政治整合的促進，可以從「法統國會」時期的非國民黨籍的增額立法委員所得議席比例得到佐證，在1970年到1980年間，就已經穩定地高達20%上下。（表一）

表一：「法統國會」時期非國民黨籍增額立法委員所得議席比例表

年分	所占席次	總席次	占比
1969	3	11	27.3%
1972	6	28	21.5%

年分	所占席次	總席次	占比
1975	6	29	20.7%
1980	11	52	21.2%
1983	9	53	17.0%
1986	13	70	18.6%
1986	18	76	21.7%

　　至於「法統國會」的問題，有些學者將其批評為「萬年國會」，實際上，彼等僅僅著眼於它的「程序正當性」之不足；但應同時指出的是，「法統國會」的運作，於台灣地區的「治理正當性」實大有裨益；這可以從增額代表的質詢數量和內容看出端倪；對此，蔣經國先生在擔任行政院長時曾說，「黨外委員質詢中對政府施政的批評不無見地」，可以為證；另外，還可以從當時監察委員曹啟文立案調查孫立人事件，看出一二。事實上，某些國家的國會在民選代表之外，兼採官派的「功能代表性」議員制度，即著眼於此；例如，2000年改革後，英國國會上議院議員還是如此，彼等一旦受聘，就是終身議員，其理在此；此外，21世紀20年代，新加坡國會議員中的官派議員制度，也是著眼於此。

　　平實地說，台灣地方自治層次的地方選舉，使地方精英得以分享地方政治經濟資源（甚至部分國家資源）；當然，不能否認，這種選舉制度安排，同時會帶來裙帶政治問題，以及隨之而來的賄選、貪腐問題；但選舉過程為本土族群組織學習、利用人脈、動員群眾的民主運作制度，提供了重要的誘因，則是不爭的事實；在此

同時，那套機制又帶有擁護政府，以穩定戰後台灣社會的政治功能。因此，總體來看，在當時，選舉賄選或裙帶政治問題，是值得付出的成本。

　　總的看來，國民政府遷台以後，台灣地區的民主政治體制，具有部分內源性，並非全然外源性；換句話說，由上而下的威權扈從主義無法完全解釋台灣地區的政治發展。應該說，由下而上的內生性的地方派系政治，實實在在做出了他們的貢獻；而後者的運作，則奠基於1949年遷台後國民政府所推行的社會經濟本土化改革的基礎之上。這為後來國民黨一黨獨大體制下黨外運動的發展，提供了穩定的平台和沃壤，從而為民主政治體制的順利運行，提供了內生性保障。概括地說，這些內生性保障，包括地權相對平均的經濟結構、自耕農平均分布於台灣各縣市、以及深具社會統合功能之農漁水利會組織的社會結構。我以為，那些社會經濟、本土化改革，本質上就像某種軟性基礎建設，而可以被稱為「領導性改革」（leading investment），以其得以產生後續的巨大正外部性故也。從另外一個角度看，民主政治的運行似乎不必與當地經濟發展的程度正相關，反而是與當地社會經濟的結構有關。

（四）教育制度本土化

　　國民中小學義務教育制度帶來的文官本土化及其文官體制所提供的國家能力，是戰後台灣發展的政治社會基礎；法國學者托克維爾（Alexis de Tocqueville）早就指出，均衡的社會結構與足夠的教育素養是地方自治運作成功的重要條件。就此而言，台灣光復後，台灣省政府推行了以中華文化為基礎的國民中小學基礎教育政策，為此提供了重要的社會基礎；據統計，國民小學學齡兒童就學

人數和就學率，1951年分別是九十七萬餘人和81.5%，1961年分別是一百九十八萬餘人和96.0%。至於國民中學就學人數和就學率，1968年分別是二百四十萬餘人和97.7%，1980年分別是二百二十萬餘人和99.7%；其人數和比率比起國民小學還更高，已經接近全面就學的局面；作為第一屆國民中學的入學生，本文作者就是受惠者的其中之一，若非國民中學義務教育之推動，許多人的一生勢必是完全不同的另一個版本。此乃所謂，未教者、令教，未育者、令育，未潤中華文化者、令潤中華文化是也。關於中華文化教育的影響，約起於70年代終於90年代的台灣校園民歌運動，可以說就是那些創作者孺慕傳統中國的結果。

三、蔣經國時期的台灣現代化政策

蔣經國先生，是台灣近數十年來，最受人民歡迎的政治領袖。他的本土化政治路線與政策領導，對台灣過去的政治發展走向，有著極大的影響。本土化的內涵包括：首先，增加政府機關裡台籍菁英比例；再來，是把施政重心由收復大陸改為經營台灣。這些政策的面向，可以包括政治、經濟、社會、教育、軍事等等層面；但本文的重心將放在政治層面上，尤其是政治民主化的層面之上。

蔣經國先生於1972年5月27日接任行政院長，1978年5月20日擔任第六任總統，直到1988年1月13日因心臟衰竭病逝。這段期間，經國先生主導了台灣整體政策走向的發展，包括政治、經濟、社會以及外交等等面向；後來，台灣走向政治轉型，進行一連串的政治改革，以及最後出現所謂「寧靜革命」（quiet revolution），都與蔣經國先生的本土化政治路線與政策有關。

（一）行政院長任內的行政本土化與人才本土化

　　蔣經國先生於1969年6月2日就任行政院副院長；三年後，1972年6月1日就任行政院院長。接任行政院長之後，所謂「蔣經國時代」正式宣告開始；此時，政府政策的決議重心轉移到了行政院院會。6月8日，即就任行政院長後不久，經國先生就開始推動十大行政革新，包括：多親近民眾／多聽民眾的意見（第三條）；不要錦上添花／多做雪中送炭的事（第六條）；剷除做官的心理／腳踏實地去作事（第十條）等等，無非都是其儒家文化仁民愛物的民本情懷的自然展現。其實可以說，十大行政革新是行政上的台灣本土化，是傳統民本式仁政的政治現代化；在這裏，所謂仁政的關鍵，在主政者是否以民為本位的思考，而不在任何制度的形式。在立法院首次做施政報告時，他也曾作出類似的宣告。他說：「民主政治既是民意的政治，政府的措施，自應完全依據民意，與民意的願望相結合，以民眾的利益為依歸，為民眾提供最好的服務。因之所有行政部門，從觀念到作法，都須不離民眾，接近民眾，以親愛精誠的態度，確實做到公僕的職責。」

　　另一方面，經國先生倡言拔擢「青年才俊」，推動人才「本土化」政策。反應在地方選舉上，為提名非派系出身的本省籍縣長候選人，培植新一代的國民黨黨工幹部，取代既有的地方派系勢力。為了展現新人新政，在重組行政院時也進行改組，啟用台籍新人，其中，台籍人士占了八名，比例為30％。在這樣的「本土化」政策下，徐慶鍾成為第一位台籍行政院副院長，謝東閔成為第一位台籍省主席；另有一批台籍人士：連震東、李連春、李登輝、林金生、高玉樹等，也先後在行政院中擔任要職。有人曾對蔣經國的內閣評

論說：「新閣不但陣容新，氣象新，活力也新，平均年齡六十一點八歲。」

其後，蔣經國對於本土化仍然不遺餘力，像是國民黨決策核心的中常委，也極力注入台籍新血。1976年11月，中國國民黨召開蔣介石過世之後的全國代表大會。四十八位初次入選的中央委員裡頭，有十六個台省籍人士，李登輝和台北市長林洋港都在其中。新一屆中常會有二十二位中常委，其中五人為本省人，比1972年那一屆的三人，多了兩人。蔣經國的本土化政策，回應了當時黨外台籍人士參政的要求，自然對於舒緩省籍對立的問題有了實質的效果。惟此時期，蔣經國雖然大力地推動本土化，但在整體上，仍舊偏向於「大陸人為主、本省人為輔」的情況；中央政權只有開放次要部門，並且嚴加控管，這樣的情形直到1986年才進一步的開放。

（二）經濟建設的本土化意義

在行政院長任內這個時期，台灣遭遇了國際政治（中美斷交）與經濟（石油危機）的新困境，蔣經國積極推動「革新」的本土化施政路線予以回應。1973年到1978年5月間，經國先生在行政院內成立財經五人小組，處理財經大政，並綜合推動十大建設，包括六項交通基礎建設、三項重化基礎建設、以及另一項核能發電建設；1974年高速公路通車時，蔣經國先生說，「我們要把各項建設，不論硬體軟體，都要落地生根，就像這條公路一樣，誰也無法搬動移走，這樣才是真正的所謂本土化。現在一般人常把本土化視為提拔台籍精英擔任重要職位，似乎過於狹義。」可以說，經國先生所推動的十大建設，就是經濟建設上的台灣本土化，就是民本思想在經濟層面的體現。

質言之，蔣經國推出「十大建設」，不但舒緩了當時國際上經濟衰退所帶來的困境，也提供許多就業機會，並建設台灣。過去國民黨統治的政策路線是把台灣視為「反攻大陸基地」，重軍事、輕建設，公共設施也相對落後，但經國先生的十大建設，在全台經濟布局上，開始從「反攻基地」向「革新保台」轉移。

　　簡言之，不論是行政上的十大革新或者是經濟上的十大建設，早從1970年代初起，蔣經國先生就已經自覺地推動台灣本土化政策了。雖然如此，在此同時，他說，「凡於復國建國大業所必要，建設現代化國家所必行，於國民福祉所必需的，必定戮力以赴，毫不鬆懈；反之，凡是不合時代要求，不合國家民眾利益，有礙行政效率，甚至違背復國建國大計者，必定斷然加以棄絕，毫不遲疑」；由此可知，當時，蔣經國的心中仍然充滿著中華情懷，是故，他在離任行政院長時曾公開說，在行政院長任內，他的腦海中只有兩件事，其一，「妥善照顧復興基地同胞安居樂業生活」，其二，「致力國家建設使得國家得以復興，不負大陸同胞及海外僑胞的期望」。

（三）總統任內的台灣現代化政策

　　1978年2月19日，國民大會一屆六次會議在台北召開，蔣經國先生以一千一百八十四票當選總統。5月20日，經國先生正式就任中華民國第六任總統後，展開了影響台灣政局發展深遠的另一波「台灣現代化政策」，也替下一任總統李登輝開啟了一扇改革台灣政治的大門。

　　1978年，中美斷交，政府頒布緊急處分令，增額中央民意代表的選舉因之中止進行，經國先生號召人民沉著應變，並且宣示堅持

民主憲政的決心；1979年，經國先生在中國國民黨十一屆四中全會閉幕儀式中，針對增額中央民意代表的選舉問題指出：「一定在適當時機恢復中央民意代表的選舉，並且決定增加名額，以擴大憲政功能，貫徹本黨實行民主憲政的決心。」

其後，國民政府為了加強國會功能，於1980年恢復了中美斷交時遭到中止的中央民代增額選舉，並且還大幅增加了名額，是年共計增選二百零四人，其中立法委員及監察委員增加率達到原人數的五分之一以上（表二）。其後，每屆立法委員、監察委員、國大代表增額選舉中，所選出來的委員或代表，絕大多數都是台籍人士；這對台籍政治人才的培養，進一步化解省籍情結，並且廣攬省籍才俊，使其能夠參與中央黨政各部門，起了很大的作用。此舉一方面強化了中央民意代表機構，另一方面也擴大了民主憲政的基礎。

表二：民國67年到69年中央民意代表增額補選人數

	1978年（民國67年）	1980年（民國69年）
國民大會代表	56	76
立法委員	53	96
監察委員		32（間接選舉產生）

1984年，蔣經國連任總統一職，並且推舉俞國華為行政院長。1984年6月12日，俞國華院長針對行政院施政目標談到，除了遵循蔣經國政策的三項方針外，在行政院有關人力與科技的發展方面，指示部屬要迅速執行國民黨十三全大會中通過的提案，並希望各部會首長平時要多拔擢青年才俊，逐步落實本土化政策。1985年12月25日，蔣經國在行憲紀念大會上，發表了一篇聲明，再為台灣的領導

者進行鋪路，在這項聲明中針對繼任者的問題，經國先生明確地指出兩點說明：

1. 就總統繼任者的問題。這一類的問題，根本是不存在的。因為我們立國的基礎是以憲法為依據的，所以中華民國的下一任總統，必然會依據憲法而產生，那就是由國民大會代表代替全國國民來選舉產生。

2. 我國不可能以軍政府的方式來統治國家。執政者走的是民主、自由、平等的康莊大道，絕對不會變更憲法。同時，也絕對不可能有任何違背憲法的統治方法產生。

總之，進入1980年代後，國民黨的本土化政策愈來愈明顯。特別是到蔣經國晚年，一方面，經國先生深知自己的健康狀況，已經不允許本土化政策慢下來；另一方面，黨外台籍人士對於政治核心也有一些壓力，欲爭取更多的政治參與權；再者，由於美國不斷要求台灣儘快民主化；在此期間，美國在台協會實質上已經露骨地扶植台灣的黨外力量以牽制國民黨了。這些因素都使蔣經國在晚年對於本土化的開放愈加積極，同時和政治革新相結合，這是蔣經國晚年的政策原則。結果，傳統民本式的台灣現代化過程，就漸漸轉向西方民主式的台灣現代化過程了。

當時，在國內政治方面，黨外運動已開始嘗試突破國民黨的獨大。蔣經國面對台灣政治發展的新課題，為了應變生存，擴大國民黨的統治基礎，一方面推行「年輕化」、「本土化」等等的政策外；另一方面，在國民黨政策會成立黨外溝通小組，開始與在野反對力量溝通互動，每月至少一或兩次聚會；蔣經國先生曾指示黨外溝通小組成員的關中向黨外人士說，國民黨從未把黨外運動領導人

當成敵人，「現在不夠民主，是因為要保台、為了台灣的安全，將來總會慢慢走上民主。」

　　至於政治改革的議題，蔣經國在三十一名中常委中挑選出十二人，以嚴家淦為召集人，專門研究政治革新的各項內容。這個小組在蔣經國的督促下，確定了六項議題，包括：（1）解除解嚴，（2）開放黨禁，（3）充實中央民意機構，（4）地方自治法治化，（5）革新黨務，（6）調整各項政策。在蔣經國清楚了解到，國民黨政權暫時不會回到中國大陸，必須落地生根台灣後，蔣經國開始轉型，扮演新台灣人的角色。蔣經國晚年的本土化政策，嚴格說起來，雖是一種務實的策略，但也是一種理念的追求。蔣經國在他在世的最後兩年所做的政治改革，為台灣持續的民主發展奠定了穩固的基礎。茲以重要的事例來說明其政策走向：

1. 從大陸本位到台灣本位。1987年7月27日下午，蔣經國邀請十二位台籍俊彥在總統府茶敘時說：「我在台灣住了四十年，是台灣人，當然也是中國人。」蔣經國這句話，說明國民黨由於在台灣已經深耕四十年，因而他認同了台灣這塊土地作為他的第二故鄉。

2. 解除黨禁。1987年12月5日，黨禁解除。

3. 解除戒嚴。1987年7月15日零時起，解除戒嚴。

4. 開放報禁。1988年1月1日，開放報禁，准許新報紙登記。

5. 開放台灣民眾至大陸探親，結束了兩岸長達四十年的對峙封閉。

6. 準備開放中央民意代表選舉，終結「法統國會」。

當時的爭點是，有人認為應該要設置大陸代表，不然國會就沒有「大陸地區」的代表，影響了「中華民國法統」的正當性。1987年11月，經國先生指示馬英九，清查1949年中華民國政府遷台時，有無發表聲明中華民國仍然代表中國大陸地區？馬查明後，發現沒有；蔣經國結論：「《中華民國憲法》就是中華民國的法統；依照憲法選出的中央民意代表，就可以代表中華民國法統，不必設大陸代表了。」此後，中央民意代表選舉幾乎都是由台籍人士出馬競選，而當選人數也逐漸增加，終至中華民國已經完全等於台灣，中央民意代表不再與大陸地區有實質關聯。

1988年1月13日蔣經國去世後，李登輝接班，台灣政治上層的權力結構進一步朝著向「台籍化」、「多元化」、「本土化」快速發展，這可說是蔣經國進一步影響和穩固了其後的國民黨政權。總體來說，本文認為，台灣政治本土化的突破，發生在蔣經國時代；台灣政治民主化的質變，也發生在蔣經國時代。李登輝則在隨後的政治體制改革上，扮演了一定的角色；他讓那些制度改革加速，最後轉向西方民粹式的政治運作之路。

四、結語

本文認為，在蔣介石總統主政下，國民政府的台灣現代化政策已陸續展開，那些政策為台灣早期地方自治的成功實踐，提供了厚實的內生性基礎，以民主選舉需要有群眾組織為其基礎故也；這樣一來，吾人可以說，當時台灣的政治體制是一種由上而下的威權扈從體制，和由下而上的內源性地方自治的混合體也；其中，由下而上的內源性社會經濟基礎，為後來的政治發展提供重要的動力。也就是說，過去多數學者所提出的威權扈從主義，並不能完全解釋

戰後初期台灣地方政治的發展。更宏觀地說，蔣介石時代的良善治理，讓1949年後的台灣「從風雨飄搖走向了安定繁榮」，並為「蔣經國時代」鋪墊了基礎。

關於蔣經國先生，有人說，五、六〇年代的國民黨只將台灣視為返回大陸的跳板，所有的政策都以此為依歸；然經國先生的台灣現代化政策早從退輔會時期的中部橫貫公路的建設就已開始，至於其政治本土化政策，則將大量的台籍俊彥，擢拔進入國民黨中，並外放其為從政同志，那確實增加了國民黨的統治合法性，並解決了省籍對立的部分情結。此外，他有開明的政治思維，默許反對黨民進黨的出現；有了反對黨與執政黨相互監督與抗衡，台灣的民主政治乃出現光明的生機。因此，有人說，蔣經國先生推動了「寧靜革命」；有人則說，他是台灣的「寧靜革命的先行者」；此皆經國先生志願宏深，胸懷開闊，前後相續，善推動故，善堅持故，善成就故也。總體來說，本文認為，台灣現代化的突破，發生在蔣經國時代；台灣現代化的質變，也發生在蔣經國時代。

至於意識形態的問題，王作榮說，蔣經國先生是俄國史達林文化與中國包青天文化的混合產物，而有現代社會主義思想與傳統儒家文化思想的雙重性格與修養；對此評價，張祖詒說，「這話有點不得體，但很寫實」，「在這樣一個混合體文化教養之下，一個人必定會有強烈的公平、正義、仁民、愛物、節用、厚生的情懷與操守。」本文則認為，蔣經國先生具有強烈的民本思想，他是道道地地的傳統仁政思想的奉行者，他具有一個偉大政治家所必需具備的意識形態，惟該意識形態被當時冷戰體系的地緣政治框架所侷限，而難以轉寰。如果能從這個視角切入，則對他個人的若干批評，就可以得到理解。

以是之故，近數十年來，蔣經國先生一直是台灣最受人民歡迎的政治領袖。數據顯示，自1986年以來，約十七次各家不同的民調結果均顯示，台灣民眾對蔣經國先生的滿意度均在八成左右。其中，2016年4月初，國家發展委員會公布的民調數據仍然指出，高達74％民眾認為蔣經國先生對台灣有重大貢獻，另有近55％民眾認同總統府將其三樓大禮堂命名為經國廳以紀念他；這個數據顯示出，在很長的時間裡，蔣經國先生一直都是台灣人民極為敬重的總統；此外，2019年11月一項針對企業負責人所作的問卷調查則顯示，還有高達78.9％的企業負責人認為，蔣經國先生最有貢獻。一言以概之，經國先生的台灣現代化政策對台灣民眾的影響，可以用「淪肌浹髓」、「歷久不衰」來形容。

台灣的抉擇❸——人民有權？政府有能？

民主政治的基底——談公民素養

洪泉湖

> 起初，納粹抓共產黨人的時候，
> 我沉默，因為我不是共產黨人；
> 當他們抓社會民主主義者的時候，
> 我沉默，因為我不是社會民主主義者；
> 當他們抓工會成員的時候，
> 我沉默，因為我不是工會成員；
> 當他們抓猶太人的時候，
> 我沉默，因為我不是猶太人；
> 最後，當他們來抓我的時候，
> 再也沒有人站起來為我說話了。
> ——德國馬丁·尼默勒（Martin Niemöller）牧師

一、前言：公民是什麼？

在本文開始時，我們首先要瞭解，所謂「公民」（citizen），究竟是什麼？他們和一般的人民不一樣嗎？它和國民是同樣的意思嗎？一般而言，所謂人民，是指居住在某個地方或某一國家內的自然人；而所謂「國民」，則是指定居在某一個國家，擁有該國的國籍，因而受到該國保護的人民，這種人得以擁有基本的人權，例如思想言論、身體安全、居住遷徙等基本自由，也擁有工作權、財產權、甚至是環境權、文化權等權利等。至於「公民」，則除了以上的人權之外，他們還必須擁有主動、積極參與公共事務的能力與責任。

二、公民素養是指什麼？

每一個公民，都應該具有「公民素養」（citizenship，又稱為公民資質，或公民資格，或公民身分），才能展現他的能力，善盡他的責任。但所謂公民素養究竟是什麼？在學術思想界有四種不同的主張：

（一）傳統自由主義者的說法

自由主義者馬歇爾（T.H.Marshall）認為，公民素養是指一個公民所應享有的權利（rights），因為只有這些權利的擁有和行使，才能保證所有公民的完整性與平等。這些權利包括思想、言論、身體、住居、遷徙、秘密通訊、集會、結社等基本自由，加上工作、財產、社會安全等社會權，以及環境、文化、族群、性別、醫護等群體的權利。有了這些權利，每個公民才是完整的、有尊嚴的，而且得以建立歸屬感；有了這些權利，才能免於受到國家的操控和干預，才能進行自主的決定，才能做出理性的選擇。

不過，這樣的主張，受到很多的批評。批評者指出它只顧及公民的權利，卻沒有強調公民的義務和責任，似乎公民只要守法，就不必關心公共事務，這是消極的、不完整的主張。

（二）公民共和主義者的說法

公民共和主義（civic republicanism）源於古希臘的城邦政治，主要的學者如艾克曼（Bruce Ackerman）和馬西多（Stephen Macedo）等強調，在民主國家的公民，必須具備一些重要的公共德性（public virtue），或所謂「公共的善」（common good, public good），例如對差異的容忍、理性的對話、對不同價值觀念的相互尊重、願意參與公共事務的討論等。換句話說，每個公民都

應主動參與公共事務，並透過理性溝通、相互尊重與妥協而做成決定。由於這些決策乃是基於公共意見而形成的，因而具有約束力，人人都應當遵守，這樣才能建構一個良善的政府與社會。

孫中山先生也曾經在他的〈民權主義第三講〉中說，我們人人應該以服務為目的，不當以奪取為目的，聰明才力愈大的人，當盡其能力，以服千萬人之務，造千萬人之福；聰明才力略小的人，當盡其能力，以服十百人之務，造十百人之福；……至於全無聰明才力者，也應當盡一己之能力，以服一人之務，造一人之福。這也就是一種公民素養。

（三）社群主義者的說法

社群主義（communitarianism）者如桑德爾（Michael Sandel）和瓦澤爾（Michael Walzer）等人則提出另一種主張。他們認為，公民光有公共參與還不夠，他們在參與公共事務的過程中，還學習到分工合作、相互負責、尊重寬容和敬業樂群。再者，他們也認為，人們既然是存活於所處的社會文化脈絡與歷史時空中，那麼他們的思考判斷、理性抉擇，其實是脫離不了他們所處的社會文化脈絡，因此，他們必然透過這些環境與社群，來建立其價值觀與認同感。換句話說，公民是會展現他們所屬社群的認同與團結感的。

孫中山在他的〈民族主義第六講〉中說，中國傳統中有固有智能和固有道的。前者是指格物、致知、誠意、正心、修身、齊家、治國、平天下那一套從裡而外的政治哲學；後者是指忠孝、仁愛、信義、和平八德。如果以社群主義的觀點來說，作為一個公民，也應該在這些方面有所修為！

（四）多元文化主義者的說法

多元文化主義（multi-culturalism）是近幾十年來所提出的新價值。基於以往種族歧視、強迫同化對人類所造成的傷害，多元文化主義學者如楊格（Iris Young）和金利卡（Will Kymlicka）等人，強調不同文化間的差異，並無高低之分，因此應該都予以尊重與包容，不但不應再出現歧視與打壓，而且更應該鼓勵彼此間的相互欣賞與學習，這樣才能建立一個和諧而正向的社會。另外羅爾斯（John Rawls）所提出的「正義論」（Theory of Justice），主張每一個人或族群，都應該獲得平等的機會，如果無法做到，則應該對於最弱勢者給予最多的幫助。這種論述也被學界列為多元文化主義。

近年來，批評多元文化主義的人頗多，他們認為多元文化主義會強化、鼓勵了不同文化之間的差異和敵視，而不見得能出現相互的尊重與包容。這當然是可能的，例如美國已經是老牌的民主國家，可是黑白問題一直存在。比利時的法蘭德斯（Flanders，荷語區）近年來鬧獨立，西班牙的加泰隆尼亞（Catalunya）等地，也想分離，許多其他的民主國家也都還有分離運動，可見文化多元主義並非萬靈藥丹。不過，文化多元主義強調差異文化之間的相互尊重、包容、欣賞與學習，不是與民主社會的價值相合嗎？因此，它作為公民素養的一種內涵，應該是可以的。

三、現代的公民素養要怎麼培育？

在過去的觀念裡，我們總會認為公民素養的培育，不是政府的責任嗎？公民素養不是已經在學校（主要是在國中和高中）教過了嗎？那不就是「公民與道德」課和「公民」課嗎？

是的，我們的國、高中，過去曾有過「公民與道德」課和「公民」課，但後來因顧慮到有關「道德」的這部分，如果放到課文中，很容易變成一種教條和規訓的灌輸，不但學生不喜歡，考試也很難出題，而且如果把「道德」當做「知識」來教學，學生即使會背誦忠孝節義、講信修睦的規訓，也不一定會成為一個具有美德情操的年輕人。因為道德的學習，主要是透過感受、體驗、思考、反省等而來的，背誦只是其中的一環而已。所以目前國中的公民課文並不強調道德的部分（所以曾被罵為「缺德」的課），而且與地理、歷史合併為「社會學習領域」，在高中則稱為「公民與社會」課。

問題是，有關公民素養的培育，只靠學校的教育，夠嗎？我們發現，公民素養的培育，不能只靠學校，而是從家庭、學校、到社區、社團，乃至企業及政府等，都是培育歷程的一環，都負有培育公民素養的責任。

（一）家庭方面

家庭是每一個人最早接觸的生活圈，所以父母對子女的教育，非常重要。可是為人父母的，為了疼愛子女，往往形成溺愛，而忘了教導子女該有的禮貌、或為人處世的原則。例如：有人打電話給你，一開始就跟你說：「你猜我是誰？」，你可能會因一時想不出對方是誰，而感到不舒服，這就是對方不懂講電話的禮貌，因為打電話給別人，應該自己先報上名來啊！而且要說「對不起！我是某某某，打擾了！請問您現在方便講話嗎？」可是我們的父母可能都沒教小孩這樣做。我們在大街上，偶爾也會看到，一個爸爸或媽媽騎摩托車闖紅燈，公然違規，有時候還會被小孩糾正說：「老師說

不可以闖紅燈喔！」父母這樣的錯誤示範，能教育子女嗎？此外，在家庭生活中，為人父母者往往捨不得讓子女做家務，要不然就是兒子、女兒分工不平等。這些都會導致子女沒有「自動自發」、「自動守法」、「男女平等」、「家務分工」的概念。反過來，有些父母對子女事事過問，甚至動輒責罵，成績不好要罵，暑期假日出去玩也罵，結交異性朋友更要罵。這樣不但容易造成子女的挫折與焦慮，也會導致她們的抗拒和叛逆，或打擊子女的自主性與獨立性，這樣的孩子將來如何能成為一名好公民？

（二）學校方面

學校當然是培養公民素養的最佳基地，但這不止於課程與教學，還及於人際互動、開會討論、課外活動等各方面。有關課程方面，國中的「社會學習領域」和高中「公民與社會」不但在有關公民的素養方面，有了比以往更鮮活、實用的知識，例如介紹「公民身分認同及社群」、「社會生活的組織與制度」、「社會的運作、治理與參與實踐」、「公民社會的理想與現實」四大主題的相關知識，也強調在課文中要儘量採取提問的方式讓學生有機會去思考、判斷與抉擇。

至於在公民教學方式方面，也有了很大的變化。例如有所謂的道德兩難教學法、問題中心教學法、價值澄清教學法、案例教學法、合作學習教學法等。所謂「道德兩難教學法」，有個很有名的例子：美華與雅慧（假名）是一對閨蜜，有一天她倆一起去逛百貨公司買衣服。在某家服裝店中，她倆看上了幾件新潮的皮大衣。雅慧想試穿一下，美華則上洗手間。當美華回來時，雅慧卻已不見了。這時，店員跟美華說請問是刷卡還是付現？美華感到一頭霧

水，她說我沒有買啊，為什麼要付錢？店員說跟妳一起來的女孩說要買，現在她把皮大衣帶走了，所以請妳付帳！這時美華陷入兩難：這件大衣應該是雅慧偷帶走了，如果要自己付錢，顯然心裡不願意；可是如果她說出是雅慧帶走了，並提供雅慧的姓名電話或住址，又好像出賣了朋友？這時，如果妳是美華，妳怎麼辦？這種教學法可以培養學生的理性思考與價值判斷能力。

再如，所謂「問題中心教學法」，是指教師提供一個問題，以及相關的情境，讓學生去思考這個問題，然後提出解答。在學生思考的過程中，可以查閱相關資料，當學生提出解答時，教師可以再提出疑問，讓學生再思考要不要修正自己原先的解答或有更周全的解決辦法？但教師先不要提供所謂「正確的」或「唯一的」答案，一直到學生可以提出更好的解答。這種教學法，可以提供主動學習、資料搜尋、小組討論、獨立思考和解決問題的習慣與能力。又如「合作學習教學法」，是將學生分成多組，每組可以有五到六人左右。分組後由他們自己選出組長，並相互了解每個人不同的興趣或專長。等教師發給一項活動計畫或學習目標，每組就依照自己的專長或志趣分工，並展開資料蒐集、工具取得、任務分配、相互討論、時程控制、乃至比賽完成或成果取得的流程。這種教學法，可讓學生學習到善用專長、分工合作、掌握時效和團隊精神等能力或素養。

再者，學校也可以提供「學生自治選舉」、「班會的召開」、「社團活動」、「運動比賽」等機會，讓學生練習參與公共事務，學習會議規則，及表達學生意見等經驗，培養服從多數、尊重少數的民主理念，也可以培養學生獲得「國有國法，校有校規」的守法精神，和「爭取榮譽，輸贏有格」的寬宏美德。

（三）社區方面

在以前的傳統鄉下，人與人之間所強調的是親情和倫理，人際間的互動往來，都以輩分和傳統習俗為依歸。但現代的社區，只能說「遠親不如近鄰」了。那麼，個人在社區之中，要如何學得公民素養呢？居住在社區中，我們如果要過得安穩愉快，就不能再「各人自掃門前雪，休管他人瓦上霜」了。畢竟我們住在大樓之內，彼此左鄰右舍、上下樓層，難免會有水電供應、瓦斯安全、進出門禁、垃圾處理、寵物飼養、聲音吵鬧等各種問題，都需要共同面對，因此更需要大家的自我管理和相互關心。我們都知道，每個社區都會有管理委員會，用來討論和表決來決定如何處理社區中的公共問題。可是大家通常都不願意擔任社區管理委員，甚至連一年只需召開一次的「區分所有權人大會」（住戶大會），都不想參加，覺得那種會議很麻煩或很無聊。但這樣一來，就會造成社區管委會或區分所有權人大會的功能不彰，導致社區住戶的眾多問題都無法解決，甚或等而下之，讓某些社區的主委藉機掌權擴權，甚至營私舞弊。這樣的社區哪會住得安穩愉快呢？

為了住戶自己的權益，也為了保障社區的永續發展，社區的住戶們不能偷懶，要積極參與社區公共事務。例如不要排斥被選為管理委員，既然被選上了，就要依規定出席會議，與其他委員共同討論如何解決社區的種種問題。而沒有被選上的人，至少要盡到如期繳交管理費的義務，其次，在社區內不要製致造噪音，不要亂丟垃圾，不要攀折花木。如遇公共問題，也要積極向管委會提出提案，並關心這些問題的解決與否。

我們都知道，歐美先進國家是很尊重個人自由的，但他們也很嚴格規範社區的公共問題。例如：你可以在你家前院種花、後院種樹，但如果這些樹木長高到一定的高度，或樹齡超過多少年，就不

能亂砍了，否則可能會被罰款，因為你破壞了生態環境；如果你不整修花園，讓花園變成荒煙蔓草，鄰居可能也會跑過來抱怨，要你趕快整修，因為你破壞了社區的環境之美。又如：你可能在家裡養寵物如貓、狗等，但不能吵到鄰居，如想到公園蹓狗，則要自備狗繩、狗圈和塑膠袋等，一來讓狗不致咬人，二來必須用塑膠袋把狗的糞便帶回。這都是公德心的問題，也是現代公民應有的素養。

近二、三十年來，台灣的很多社區都開始了「社區總體營造」，就是社區的人們在某些因素的激發下，大家願意主動參與社區的建設。但這不只是社區的修橋鋪路、通電供水、美化環境而已，更可能從事當地的歷史再現、文化資產（如老街、廟宇、手工藝、傳統美食等）的維護與更新再利用，甚至將地方上的農林產品加以改良創新，將地方上的民俗節慶加以精緻化等等。在這個過程中，參與者要透過不斷的討論，來決定社造的主軸和工作項目，要齊心協力，各展所長，發揮團隊精神。也要尊重不同的意見，以避免彼此的衝突，在決策過程中要服從多數、尊重少數。一旦有了成果，也要懂得分享。例如台北永康社區的保護大樹、桃園大溪的老街重現、台中新社的環境美化、南投中寮的災後重建、南投埔里桃米社區的生態復育、花蓮馬太鞍部落原住民族的環境生態展現、高雄美濃的客家文化傳承等，都具有這些成果。再者，這些改造工作不但可以活化當地的經濟，更可能創新當地的文化，從而激勵了社區居民的自我認同，也培養了公民積極參與公共事務的習慣與能力，更增強了對在地文化的認同和成就感。

（四）社會方面

「社會」的範圍很廣，我們這裡只舉三個例子，來說明他們對公民素養的培育，占有重要的地位。第一個例子是「民間團體」，

包括各種學會、協會、工會、公會、校友會、聯誼會、基金會等等。這些團體都是由民間發起而組成的，只不過為了它們的永續經營，都會向內政部申請登記，然後依人民團體法的規定，制定該團體的組織章程。凡是有關召開理、監事會議或會員大會，選舉理事、監事和理事長等事宜，都要依照那些組織章程來辦理，就不會產生問題。我們一旦踏入社會，很可能就會受邀參加各種民間團體，因而學會了開會程序，也學會了如何提案、討論與表決，才能與他人同心合力解決公共問題。想當年孫中山先生在革命之餘，還特別為國人寫了一本《民權初步》，就是會議規範。因為國人在專制王朝時代，根本沒有公民的觀念，一般民眾就是「不懂開會，會而不議，議而不決，決而不行」。後來我國內政部所公布的「會議規範」即由此而來，可見學會開會的規則，是公民要參與公共事務的「第一步」。

　　其實，公民透過這些民間社團，可以做很多事情。例如婦女救援基金會可以協助受到家暴或拐騙的女性，陽光社會福利基金會可以輔導身心障礙者就業，世界展望會可以鼓勵各界認養家庭貧窮和破碎的兒童，董氏基金會著力於戒菸的宣導，慈濟基金會則到國內、外各地協助解決貧困家庭的飲食、教育等問題。透過這些民間社團的對外服務工作，可以培養公民主動關懷弱勢、熱心慈善公益的素養，同時也等於協助政府部門，實現了許多社會福利、社會安全的政策，而這正是一種良善的公共治理。

　　另外一個例子是教會。教會的主要目的當然是宣教，但它為了實踐神的愛心，也經常從事募款來幫助貧窮、罹病或家逢變故者，幫他們解決生活的困頓和兒童就學等問題。此外，教會當然要做禮拜、唱聖歌，讓信徒時時不忘神的教誨，要有慈愛心。這些反省、悔悟、向善、平和、原諒、讚頌等等，不都是公民所應該擁有的良善美德嗎？

第三個例子是企業。當一個年輕人從學校畢業後，很多人都要找工作，這就進入了企業界。當他在應徵工作之初，主考官一定會要了解他的工作態度與基本能力。等進了公司，他馬上會被要求準時上班、準時完成工作。然後，有功則賞，有過則罰。如果他想要在公司有所表現，甚至獲得升級，那麼，他必須培養良好的人際關係，謙虛有禮，助人為樂；他必須具有表達能力、溝通能力、挫折容忍力等等；如果他想再升為主管，那他還需要懂得團隊合作力，思考力和創造力等等，這些能力，不也是現代公民應學習的能力嗎？

四、現代公民與民主政治的關係

孟子曾說過：「徒善不足以為政，徒法不能以自行。」大意是說君王如果只具有善心，而不去具體實行王道，那是不能處理好國家大政的；如果國家大政的處理，有了適當的法規制度，而沒有好的人才去推動，也是不行的。現代的民主政治，在制度的建構方面，已然有了良好的論述（例如三權分立或五權分立，總統制或內閣制、定期選舉與責任政治、公民投票與民意表達等等），但是，仍需要有良好的公民來加以推動，才能夠實現真正的民主政治。我們可以從下列三方面來說明：

（一）公共事務的參與

公民與國民最大的不同，就在公民比較能夠主動、積極地參與公共事務的討論、溝通、妥協、尊重與包容。不過在參與公共事務之前，作為一個公民，我們首先要養成自主、自治的精神，例如遵守公共秩序，不犯法、不插隊、不囤貨、不亂搶醫療資源、不攀折花木、不亂丟紙屑等，然後更進一步，懂得禮讓、關心他人、甚至捐款助人等等。

參與公共事務的管道很多，包括平時要關心公共事務的消息，也可以在網路平台上對某些公共問題發表意見。選舉時要去聽聽政見發表會，投票日要去投票。不要因為自己所支持的一方大概會輸，就放棄不去投票，因為他可能會反敗為勝；也不要因為自己所支持的一方大概會贏，就不去投票，因為他也可能會輸！而且，不管誰輸誰贏，反正投票是公民的權利，也是義務啊！在某些國家如澳洲、紐西蘭、新加坡、盧森堡、巴西、阿根廷等，不去投票，是會被處罰的！

再者，參與的過程，是需要經過某些訓練的。例如在學校或各種社團中，要學會如何提案？一般而言，提案要有人副署（聯署），要在開會之前以書面先行提出。其次，主席在開會前，應先清點在場出席人數，人數多於應出席人數的一半，方得宣布開會，否則只能改開談話會。其三，在會議中要如何進行討論？一般是由主席逐案宣讀，每案的提案人可以做說明，在討論時，要發言者須向主席取得發言地位，發言時間不應過長，在討論過程中，會眾可以提出「權宜問題」或「秩序問題」，主席應依會議規範所規定者處理。其四，在討論完後，即可進行表決，表決須正反俱呈，主席應宣布正反的得票數，並宣布表決結果。會眾也可以提出「清點人數」，如果在場人數已經少於應出席人數之半，則不能進行表決，只能改開談話會，等下次會議再處理。但如沒有人提議清點人數，一般而言均得以繼續進行表決。

（二）公共治理

治理，本來應該是政府的事，但就現代社會而言，公共事務的種類很多，內容可能也很專業，政府也不一定有那麼多的人力和財力來管理這麼龐雜的事物，因此需要民間社團、私人企業甚至個

人的協助，這種由政府、民間團體、私人企業和個人合作，來增加對公共事務的處理量能，即所謂的「公共治理」。前文所提到的社區總體營造即是很好的例子。此外，如政府運用「群眾外包」（crowdsourcing）案，結合民間力量，參與政府公共政策的討論、決策與執行，這不但可以提高政府施政的效率，也可以培養公民對政府的信任。再如政府委託民調公司進行各種民意調查、委託民間智庫進行專案研究等等，乃至鼓勵私人企業主動捐款、捐獻醫療器材共同救災等等，都具有公共治理的性質。

（三）民主價值的維護

英國的艾克頓爵士（Lord Acton）在1887年即指出：「權力使人腐化，絕對的權力，使人絕對的腐化」（Power tends to corrupt, and absolute power corrupts absolutely）。一個國家民主化了以後，由於政府的領導人也同樣擁有權力（power），且他的支持者如果越多，他也就越容易忘了初衷，忘了要向人民負責，反而會開始享受權力，甚至濫用權力，不是濫用親信，就是資源分配不公。前者例如英國現任首相強生（Boris Johnson），因濫用副首相，以及他個人的形象欠佳，導致四、五十位閣員請辭抗議，逼得強生也不得不辭職以對。後者如烏克蘭現任總統澤倫斯基（Volodymyr Zelenskyy）於當選後任用他當選前的喜劇演員團隊及一些富豪擔任政府要職，導致烏克蘭的貧富差距依舊，而他也無法正確地評估烏克蘭加入北約和歐盟的後果，以致招來一場俄烏戰爭。因此，作為國家真正的「主人翁」的公民，有權利也有責任去監督政府，以確保民主價值的存在。

那麼，公民可以怎麼做？首先，公民一定要慎選政治人物，察其言更要觀其行。不要輕信政治人物的宣傳，不要基於候選人是

同一政黨或派系就投票給他。其次要反賄選。會用「買票」來贏取勝選的政治人物，一定會用各種方法去撈回成本，反正不是貪污斂財，就是官商勾結，拿取回扣，這不但敗壞了民主制度，也會掏空國庫。其三是監督政府。監督政府本來應該是民意代表的責任，但他們也許力有未逮，也許沆瀣一氣，導致無法建立廉能政治。此時，公民應多多注意相關報導，盡可能察覺政府某些任用私人親信、濫用國家公帑、資源分配不公、隨意挪用公款等情事。如果有相當可靠之資料可以佐證，則可以提供給新聞界、民意代表、司法機關或監察機關處理。

五、結語

我國從1987年7月解除戒嚴，回復到正常的民主政治以來，至今已有三十五年了。我們反思這三十多年來台灣民主政治的實施，發現在公民素養的表現，有著亮麗的一面，但也有其不足的一面。

就好的一面來說，我國的公民早已懂得要維護公共秩序，例如上下車要自動排隊，在公共場所要小聲說話，不得隨地亂丟菸蒂垃圾或吐痰等，以致被來台觀光的大陸人士誇讚我們說：「台灣最美的地方是人！」其次，更值得讚許的是在參與政治活動時，也曾經有過自我約束、自我要求的表現，例如當年黨外人士（民進黨的前身）在發起示威遊行時，曾自組糾察隊，禁止遊行者與外圍民眾互罵，不准跟警察扭打等；而國民黨人所舉行的許多「選前之夜」等大型集會活動，都能依集會遊行法之規定，準時散會，並清理現場所遺留下來的垃圾，讓人感覺到這些選民真的非常可愛又可貴。

在學生運動方面，也有表現得很優秀的，例如1990年3月的野百合學運，要求政府進行國會全面改革，所有參與的學生都能自治，不挑動對立、不製造衝突，願意與政府談判，終於圓滿落幕。

另外，如2006年8月的紅衫軍運動，是反對陳水扁政府貪污，要求陳水扁總統下台。後來陳水扁雖然沒有答應下台，但他的政府已經被撼動，以致在2008年的大選中失去了政權。在這場幾十萬人參加的群眾運動中，能和平落幕，沒發生衝突暴動，實屬難得。

至於社區總體營造和公共治理方面，我們從1990年代以來，都有了很好的成績，由於產、官、學、企的全面合作，我們已為台灣創造了一個活潑、和諧、充滿生機和具有創意的社會，而政府和民間的鴻溝也變小了。

再談台灣的選舉，公民的投票率是很高的，例如根據Google的資料顯示，2016年總統大選的投票率是66.27%，2020年總統大選的投票率是74.9%，相較於美國2016年的總統大選投票率是55.7%，2020年的投票率66.7%，可謂更勝一籌。可見我們的公民對於選舉，是很積極的。除了選舉，我們的公民也會參與網路聯署，或參加市民論壇等，不但可以表達個人意見，也可以發起公民投票活動，用以督促和監督政府的施政。

在比較差的一面來說，我們的公民在下列幾方面是有待加強或改善的。例如在近幾年來的選舉中，總還是不斷地聽到有候選人要買票。買票之所以能得逞，當然是有人願意賣票，可見一定有若干民眾出賣了自己的靈魂，至為可悲。其次，至目前為止，還有很多人私利作祟，他們的價值觀是私人利益大於地方派系，派系利益又大於政黨，政黨利益又大於國家。因此做出很多違背公理正義的事，甚至已經到了違法亂紀的地步，這對台灣的民主來說，可謂傷害至深！

再者，目前台灣還有一種意識型態的心魔，就是統獨問題。台灣只是一個小島，卻處於美中兩大強國之間，而偏偏這兩大強權目

前是對立的，台灣該怎麼辦？根據國立政治大學選舉研究中心2022年的調查顯示，台灣目前有31.1%的人認同「台灣獨立」（含偏向獨立和儘快獨立），認同「兩岸統一」者，只有7.2%（含偏向統一和儘快統一）。不過，認同「維持現狀」者則高達55.7%（含維持現狀再決定，和永遠維持現狀）。而國際的現況則是中國政府絕不可能讓我們獨立，而美國政府也只是把我們當作對抗中國的棋子，他會支援我們武器，卻明白表示不可能派兵與我們共同作戰。那麼，我們有一天會不會變成另一個因戰爭而陷於滿目蒼夷的烏克蘭？針對統獨這樣嚴肅的意識形態，我們能不能運用溝通、妥協的方式來尋求共識，來為台灣兩千三百多萬同胞找到比較好的未來呢？

再者，我國目前因為藍綠政黨陷入統獨之爭，而政治人物又往往私利大於派系，派系利益大於政黨，政黨利益大於國家，所以執政黨的立法委員不會去監督行政院，反而會去阻擋在野黨立委的課責，那麼，執政黨的行政領導就難免恣意而為了。

現代是一個媒體當道的時代，媒體因為能傳播充分的訊息，又能發揮監督政府施政，所以被稱為行政、立法、司法之外的「第四權」。不過，媒體也可能有意或無意地發佈「假新聞」，誤導民眾，那作為一個「公民」，似乎也應該具備有「媒體識讀」的能力。媒體識讀的方法有很多，首先，公民要擁有一定的知識，包括對民主政治的運作、權力分立與制衡的原理、經濟發展與貧富問題、社會安全與福利、司法獨立與權利保障等的知識。如果他發現某一則新聞或訊息用字遣詞比較情緒化，衡情論理也不符合我們所學到的知識，或者每次的批判對象都是只針對同一黨派的政治人物，大概就可警覺到這種新聞或訊息是有問題的了。公民們可以去查證消息的來源，大體上來說，享有聲譽的報社或電視台，所發佈

或播報的新聞，比較不會造假，其他一些小報社或地下電台所播報的，就比較不那麼可信。我們也可以向被播報的當事人求證，或追蹤消息的來源，也可將幾家不同的報導拿來做對比，或者再多聽一些學者專家的說明和分析，就比較不會被誤導。

最後，我們要說的是，台灣已經是一個民主的社會，我們的公民素養也相當不錯，但吾人應百尺竿頭，更進一步。由於台灣是一個分裂的社會，所以公民們如想要醫治這個社會的病灶，首先，要把意見不同的「對方」當作是一個可以談話的個體，而不是一個不屑一顧的敵人。其次，公民們要勇敢地面向對方，願意「傾聽」他的意見，這樣，被傾聽的人才會反過來傾聽自己。其三，公民們要「進入對方的生活脈絡」中，用「同理心」來理解對方，這樣才有相互的理解與感動。其四，對準對方所說的話，接下來敘說，讓雙方都有愈來愈多的共同理解，而不是一直講自己的立場，甚至堅持己見，不調整自己的立場，這才不致老是各說各話，這叫做「相互指涉」、「相互對焦」。當然，台灣社會有人主張大中國主義，有人主張台灣獨立，這種政治性的對立，並不是那麼容易解決，但也許可以讓民間先進行公共領域（public sphere）的建立，透過肯認對方、相互傾聽對方的苦難際遇，將心比心，慢慢地雙方就會有相互同情的理解，原來對方也很受苦，原來對方並不是我所想像的那麼壞，這樣也許就會慢慢化解雙方的敵意，而開啟雙方和解的大門。

民主政治的基底——談公民素養

台灣的抉擇 ❸ ── 人民有權？政府有能？

結論

洪泉湖、鄭旗生

奔霆飛焰殲人子，敗井殘垣剩餓鳩。
偶值大心離火宅，終遺高塔念瀛洲。
精禽夢覺仍銜石，鬥士誠堅共抗流。
度盡劫波兄弟在，相逢一笑泯恩仇。
　　　　　　　　——魯迅，〈題三義塔〉

　　台灣光復至今，已有七十七年，而自政府播遷來台，也有七十三年之久。在這七十多年的歲月中，台灣的發展可謂相當快速。有學者把它分為三個階段，第一個階段的快速發展，大約在1970年代至1980年代，稱為「經濟力」發展階段，台灣由農業社會發展成輕工業社會，十大建設的基建工程，更有助於國內外貿易的發展，國民所得迅速攀升。第二階段的快速發展，大約在1980年代至1990年代，稱為「政治力」發展階段，台灣開始一連串的政治運動與政治改革，包括政府解除戒嚴，國會全面改選、總統直接選舉等……人民的民主自由權利也獲得更多的保障。

　　第三個階段的快速發展，大約在1990年代及2000年代以後，稱為「社會力」發展階段，社會上發生許多的社會運動，也啟動了社區總體營造，整個社會因開放的結果，一方面呈現對立面，例如社會運動；另一方面呈現和諧面，例如社區總體營造。但總的來說，整個社會的民間力量興起，社會的氛圍是活潑的、充滿希望的。

2000年的總統大選，標示著台灣邁入另一個新的里程碑，長期屈居在野黨的候選人當上了民選總統，這本是台灣民主的勝利，哪知上台的總統卻建構了一個貪汙的政府，而他的台灣獨立主張也成了公開的議題，這造成了整個台灣社會的對立與撕裂。一直到現在，台灣仍傷痕累累。

　　到了2020年代，台灣不僅有社會分裂的問題，也有朝野政治對立的問題和經濟貿易的種種困境。更重要的是，國人對兩岸的關係，也看法不一，各有不同的解釋與認同。其中一部分人認為台灣應該親美抗中，另一部分人則認為台灣應該友美和中，更有一部分人認為乾脆離美親中。換句話說，台灣那麼小，卻處在有點敵對的兩大強權之間，而我們本應團結一致、共同對外的，但事實上我們卻是自我分離、自我撕裂！

　　面對這麼險惡的處境，本專書的作者群嘗試著整理出一條比較正確的道路，希望提供給國人重新思考我們的前途問題。經過多次討論，我們認為兩岸關係確是我們當前最嚴肅的問題，國人總是認為中共實行的是專制政治，且對我們老是文攻武嚇，那為什麼還要跟它談統一？可是我們如果再深入一點思考，則會發現中共是為了擔心台灣獨立，才會做出這些動作，當然，這些動作的效果卻適得其反。但我們光討厭他們的作為，其實也沒用，如果我們為了對抗他們而開始反唇相譏，甚或展開挑戰，那是不是正好符合美國「打擊第二個強權中國」的需要，而我們自己也淪為美國的殖民地或打手了？

　　再者，我們綜觀中國大陸近三十年來的發展，不僅經濟有了高度的成長，科技有了快速的升級，教育也已相當普及，而且社會也有逐漸開放的趨勢了。至於政治方面，他們雖然還說不上民主化，但他們在平等和效能方面，則有了良好的表現。在胡錦濤時代他們也曾標

榜過「法治」、「民主」、「參與」、「和諧」、「自治」等，雖然至目前為止，中共也還沒有兌現這些理念，但它顯然也知道這些理念的確是「民之所欲」了。

另外，中國大陸現在已經壯大了，中共也就比較有勇氣說出「歷史的真相」，例如承認抗戰是由當年的中國國民黨領導全國同胞所打贏的中華民族聖戰，承認蔣介石總統的功勳。同時，也為了厚植它政權的正當性，近年來開始大力提倡中華文化，並說孫中山是「國父」。因此，我們面對中國大陸，不應該採取仇視、對抗的態度，因為那可能會導致「以卵擊石」的後果。我們應該提倡中華文化，因為在過去的一百年之間，中華民國政府一向是珍惜、發揚中華文化的，因此我們在復興中華文化方面，擁有相當的基底，由我們來引領中華文化的復興，絕對可以激發大陸人民的認同和效法。

至於孫中山先生，本來就是中國國民黨的總理，是中華民國的創建者，既然中共也尊他為「國父」，那它怎麼可以向我們下毒手呢？除非我們說「我們的國，不是中華民國」。這樣說來，我們就可以擁有兩項招牌，一個是發揚中華文化，用中華文化來引領中國大陸的民眾，同時也可以催促中共再進一步，快快放下外來的馬列思想，重新擁抱中華文化。另一個是尊崇孫中山，我們應致力於孫中山思想的研究，淬取孫中山思想的精華，加上當代學術思想的補充，而成為台海兩岸共同建設國家的策略與目標，那不也可以產生兩岸「一笑泯恩仇」的效果嗎？當然，目前海峽兩岸也只能「兄弟登山，各自努力」，但如果彼此能在未來登上同一座峯頂，不也就成就「兩岸一家親」了嗎？

或許，有人會問：「孫中山思想？那不是很老舊的東西了嗎？現在還能用來作為建設國家的藍圖嗎？」我們願意很理性地告訴大

家：第一、任何一種思想的有用與否，跟它已經出現了多久，並沒有必然的關係。像柏拉圖（Plato）的《理想國》（The Republic）政治哲學，距今已有二千四百年了，但它仍然是大家經常談到甚至引用的理念；洛克（John Locke）的《政府論兩篇》（Two Treatises of Government, 1689），討論自然權利，距今已有三百三十三年了，大家仍奉為經典；盧梭（J.J.Roussea）的《社會契約論》（另譯為《民約論》，The Social Contract,1762）、馬克思（Karl Marx）的《資本論》（Capital: A Critique of Political Economy, 1867）、韋伯（Max Weber）的《新教倫理與資本主義精神》（The Protestant Ethnic and Spirit of Capitalism,1904-1905）等等，不都是如此嗎？所以，孫中山的三民主義距今才不到一百年，當然沒有「老舊不老舊」的問題，重點在於它至今是否仍能作為國家發展的藍圖。

第二，那麼，孫中山思想到現在還能用來作為國家建設（nation-state building）或國家發展（national development）的藍圖嗎？答案當然是肯定的。我們舉一些例子來說吧！孫中山在他的民族主義裡主張「民族自決」、「民族平等」、「扶植國內各弱小民族」、「反對殖民主義主義、帝國主義」、「恢復民族精神」、「恢復民族地位」、「濟弱扶傾」、「王道文化」等等，這些項目不都還是當代各地弱小民族的呼聲嗎？在他的民權主義裡，他主張「全民政治」、「人民有權、政府有能」、「主權在民」、「地方自治」，這不就是民主國家的「普遍參與」的價值嗎？他所主張的「五權憲法」、「專家政治」、「文官要考選」、「官吏要受監督」，不就是現代國家對「廉能政府」的要求嗎？而他的《建國大綱》、《民權初步》更是建國治國的具體規畫。至於在民生主義方面，他主張「平均地權」、「節制資本」、「實業計畫」等等，更是國家建

設與發展的具體規畫。我們知道，資本主義是求富，社會主義是求均，而民生主義則是追求「均富」，可以說是發展中國家在求均或求富之外的「第三條道路」（The Third Way），這是紀登斯（Anthony Giddens）於1998年所提出的。這樣說來，我們還需要懷疑孫中山思想作為現代國家發展藍圖的可行性和有效性嗎？

為了這樣的緣故，本專書的作者群們，花了三年的時間，共同討論並撰寫了三本書，第一本書是《台灣的抉擇——從孫中山談起》，內容以民生經濟為主，共有七篇論文，另有四篇是有關中華文化或民族主義的；第二本書是《台灣的抉擇2——孫中山思想與新古典社會主義》，內容以民族主義、反殖民主義和族國認同為主，共有七篇以上論文，另有三篇是談民生經濟的；至於第三本書是《台灣的抉擇3——人民有權？政府有能？》，完全以介紹孫中山的民權思想及相關學術論述，共有十餘篇。

為了讓更多的國人能看到這本書，也為了便於讀者的閱讀，作者們儘量將文章寫成白話散文，而非學術性論文，並用社會科學的相關論述來補充、更新孫中山思想，然後再以這樣的主張來看待、討論和評價台灣當前的種種政治議題。我們的寫法是一方面找出問題的根源，二則還原事實真相，三則以修正補充過的孫中山思想來分析這些議題，甚至提出比較合適的建議，來導正台灣當前的許多亂象。這裡要再次強調的是，為了讓一般民眾更易於閱讀，我們把所引用資料的來源，盡量在內文中直接做了說明，如有必要，再把相關的重要文獻書目條列於本書最後面。

或許，讀者們又會問：「那你們這樣去修改、補充孫中山思想，合適嗎？」我們也會很坦然地說：孫中山先生是一個革命家，不是學者，所以他也知道他的思想主張，有若干論述可能會有問題，

因此他在講完三民主義後，即心胸開闊地告訴大家：「尚望同志讀者，本此基礎，觸類引伸，匡補闕遺，更正條理，俾成為一完善之書。……則共裨益於我民族、我國家，實無可限量也。」所以，我們這些後來的學者以社會科學或歷史學的知識來適當地引伸、補充、更正、更新孫中山的若干主張，是「合適」的！

參考文獻

《台灣民主社會的發展、困境和展望》

- 王業立主編，《政治學與台灣政治》。台北：雙頁書廊，2021。
- 江宜樺，《自由主義、民族主義與國家認同》。台北：揚智文化出版公司，1998。
- 馬英九基金會、長風基金會主編，《台灣與民主的距離》。台北：聯經出版公司，2019。

《選舉與民主》

- 李奎，〈選舉民主的積極功能〉，收入《武漢理工大學學報（社會科學版）》，20：2（2007.4）：181-186。
- 吳雨欣、曹玉香，〈選舉民主有限性剖析〉，收入《湖北社會科學》5（2011）：19-23。
- 許雅，〈台灣政治轉型中選舉演變及其原因探析〉，收入《長春教育學院學報》，29：2（2013.2）：45-46。
- 彭立忠、洪淑容，〈孫中山合作社理念的實踐〉，收入《宗教哲學》，84（2018）：89-116。
- 賴怡禎，〈你不懂，拜託就別去投票——理性投票的困難與解方〉，收入《哲學新媒體》，2020年1月3日，https://philomedium.com/blog/80923。檢索日期：2022年7月1日。
- 賴榮偉，〈兩岸「競合」下的台灣半導體產業發展思維：科技治理與孫中山思想〉，收入《大道之行也——紀念辛亥革命110周年研討會》（臺北市：財團法人中華民國中山學術文化基金會、國立國父紀念館國父紀念館主辦，2021年10月10日）：177-189。
- 賴榮偉、詹為元，〈青年參政與青年選票〉，2022年5月27日，中時新聞網，https://reurl.cc/zN84j7。檢索日期：2022年7月1日。

《對兩蔣時期台灣現代化的再思考》

一、報紙

- 許信良，〈美麗島事件後蔣經國才轉型為台灣人〉，《聯合報》，民國87年1月13日，版2。

二、論文

- 李文忠，〈台灣民主浪潮中的統治者——蔣經國〉，收入《「蔣經國先生主政時期（1972～1988）的外交經濟與內政發展」研討會會議論文》，2022年4月23日。

- 吳乃德，〈人的精神理念在歷史變革中的作用——美麗島事件和台灣民主化〉，收入《台灣政治學刊》4（2000）。

- 龐建國，〈那個明天會更好的年代〉，收入《台灣的抉擇：從孫中山談起》。台北：史記文化出版公司，2019：頁123-138。

三、專書

- 《中華民國發展史：經濟發展》上冊。台北市：國立政治大學：聯經，2011。

- 《中華民國發展史：政治與法制》，上冊。台北市：國立政治大學：聯經，2011。

- 《中華民國發展史：教育與文化》，上冊。台北市：國立政治大學：聯經，2011。

- 中央研究院台灣研究推動委員會編，《威權體制的變遷：解嚴後的台灣》。台北：中央研究院台灣史研究所籌備處，2001。

- 李松林，《蔣經國的台灣時代》。台北：風雲時代出版社，1993。

- 若林正丈著，洪金珠、許佩賢譯，《台灣——分裂國家與民主化》。台北：月旦出版社，1994。

- 若林正丈著，賴香吟譯，《蔣經國與李登輝》。台北：遠流出版社，1998。

台灣的抉擇❸——人民有權？政府有能？

- 茅家琦，《蔣經國的一生與他的思想演變》。台北：台灣商務印書館，2003。
- 姜南揚，《台灣大轉型—40年政改之謎》。台北：克寧出版社，1995。
- 陶涵（Jay Taylor）著，林添貴譯，《台灣現代化的推手 蔣經國傳》。台北：時報文化出版社，2000年10月。
- 張祖詒，《總統與我：政壇奇緣實錄》。台北市：天下文化，2022。
- 張景為，《明天會更好：關中傳奇》。台北：時報文化，2020。
- 蔣經國先生全集編輯委員會編輯，《蔣經國先生全集》，第一冊到第十九冊。台北：行政院新聞局，1992。
- 戴維信（Jamie S. Davidson）著，龐建銘譯，《印尼模式：國家民主化二十年史，1998-2018》。台北市：季風帶文化，2019。

《民主的基底：談公民素養》

- Michael Edwards著，張義東等譯，《公民社會》。台北：開學文化公司，2013。
- 公民不下課，《寫給公民的40堂思辨課》。台北：平安文化有限公司，2022。
- 李丁讚等，《公共領域在台灣——困境與契機》。台北：桂冠圖書公司，2004。
- 李偉才，《覺醒公民》。香港：格子盒作室，2021。

台灣的抉擇❸──人民有權？政府有能？

作者簡介（依文章順序）

周惠民　德國佛萊堡大學哲學博士

國立政治大學歷史學系教授

曾任國立政治大學歷史學系主任、文學院院長、人文中心主任

專長領域：德國史、中德關係史、世界近代史

周世雄　瑞士日內瓦大學國際高等研究學院政治學博士

前國立中山大學大陸研究所教授兼所長

前國立高雄科技大學人文社會學院教授兼院長

史記、克毅文化事業有限公司社長

台北元青花研究聯誼會會長

專長領域：國際關係、兩岸關係、元青花研究

洪泉湖　國立政治大學國家發展研究所博士

元智大學社會暨政策科學學系兼任教授

前元智大學人文社會學院院長

文化產業與政策博士學位學程主任

前國立台灣師範大學公民教育與活動領導學系教授

前國立清華大學副教授兼通識教育中心主任

中華民國族群與多元文化學會理事長

專長領域：族群關係、政治學、文化產業發展、公民教育

潘兆民　國立政治大學東亞研究所博士

東海大學政治學系暨通識教育中心合聘專任教授

東海大學地方自治研究中心執行長

專長領域：中國大陸研究、區域發展研究、政治經濟學

賴榮偉　國立政治大學東亞研究所法學博士

龍華科技大學助理教授

台灣地方發展暨對外交流促進會理事

研究發展考核委員會主任委員

寰宇共好創新顧問股份有限公司顧問

專長領域：中國大陸研究、國際關係研究、兩岸關係研究、政治經濟學

呂嘉穎　國立中山大學中國與亞太區域研究所博士

逢甲大學通識教育中心兼任助理教授

研究方向：憲政體制、科技法、兩岸關係與法制比較、東南亞研究

朱文輝　蘇黎世大學研習大眾傳播學及社會心理學研習肄業

前歐洲華文作家協會會長

前世界華文微型小說研究會副秘書長

專長領域：心理小說家

桂宏誠　中國文化大學中山學術研究所博士

北京大學政府管理學院博士

前公務人員保障暨培訓委員會委員

前中國國民黨大陸事務部主任

民主文教基金會董事長

宏國德霖科技大學董事及兼任副教授

專長領域：憲政理論、公務員法制、中國大陸政府與政治、兩岸關係

區桂芝 台北市立大學視覺藝術研究所碩士

國立政治大學中文系

台北市立第一女子高級中學國文老師

電影叢書策畫主編

財團法人電影推廣文教基金會董事

視覺藝術策展與經紀

專長領域：中國文學、華語電影、視覺藝術

閔宇經 台灣師大三民主義研究所博士

弘光科技大學通識教育中心副教授兼主任

弘光科技大學學務長

弘光科技大學大學社會責任計畫辦公室主任

專長領域：三民主義、社會哲學、公民社會

李炳南 國立政治大學國家發展研究所博士

中國文化大學國家發展與中國大陸研究所教授

國立台灣大學國家發展研究所兼任教授

前監察委員

前國大代表

專長領域：國家現代化、比較憲政發展、中國大陸政治

鄭旗生 陸軍退役少將

前三軍大學主任教官

兩岸統合學會執行長

史記文化事業有限公司董事長

歷史教育新三自運動協會理事

作　　者	洪泉湖、周惠民、周世雄、潘兆民、賴榮偉、 呂嘉穎、朱文輝、桂宏誠、區桂芝、閔宇經、 李炳南、鄭旗生
總召集人	洪泉湖
總 策 劃	周世雄
出 版 者	史記文化事業有限公司
發 行 人	鄭旗生
社　　長	周世雄
執行編輯	馮逸雯
美術設計	承妏設計印刷有限公司
出版資訊	10364 台北市大同區承德路二段 215 號 7 號樓之 2 電話（02）2321-0906 傳真（02）2393-6660
定　　價	新台幣 880 元
印　　刷	承妏設計印刷有限公司 23154 新北市新店區安德街 71 巷 24 號 6 樓之 1 電話（02）2212-7818 傳真（02）2212-7718
出版日期	111 年 09 月　初版
國際書號	978-986-06447-1-5

國家圖書館出版品預行編目（CIP）資料

台灣的抉擇. 3：人民有權?政府有能? / 洪泉湖等作.
-- 初版.--臺北市:史記文化事業有限公司, 民111.08
面；　公分
ISBN　978-986-06447-1-5(精裝)

1.CST: 民權主義　2.CST: 孫中山思想　3.CST: 臺灣政治
005.18　　　　　　　　　　　　111013941